# ÉVA LAROUCHE

# Les

## Petits Fruits

## du Québec

**QUÉBEC
LOISIRS**
Le club™

Conception graphique et montage : Véronique Harvey
Photographies : Paul Cimon


ÉDITIONS DU CLUB QUÉBEC LOISIRS INC.
© Avec l'autorisation des Éditions JCL, 2005

Imprimé au Canada

Dépôt légal – Bibliothèque nationale du Québec, 2005
ISBN 2-89430-700-4

# TABLE DES MATIÈRES

# LA FRAMBOISE

## AVERTISSEMENTS :

Nous avons colligé pour votre information et votre divertissement
certains trucs et astuces tirés de la tradition populaire,
de la médecine préventive et de la médecine douce.
Nous déclinons, cependant, toute responsabilité quant
à leurs usages et n'entendons pas nous substituer
à la médecine conventionnelle.

Vous retrouverez aux pages 142 et 143 la provenance
de la majorité des recettes de ce recueil.
Certaines d'entre elles ont cependant été modifiées
dans leur présentation ou leur contenu.
L'auteure remercie ces précieux collaborateurs.

# INTRODUCTION

J'ai rassemblé dans ce livre de nombreuses informations techniques sur les trois plus savoureux petits fruits du Québec : le bleuet, la fraise et la framboise. Vous pourrez ainsi en connaître les variétés, la provenance et l'évolution dans le temps et sur les différents continents. Je vous ferai aussi découvrir leurs propriétés alimentaires, médicinales, mystiques, aphrodisiaques et autres. Je vous donnerai des conseils sur la façon de les apprêter et de les conserver. Vous pourrez aussi vous improviser dans cet art qu'est la culture des petits fruits, dont la réussite n'est toutefois pas garantie.

Nos petits fruits représentent une force économique importante. Non seulement pour leur consommation à l'état brut, mais aussi par le potentiel qu'ils représentent pour le tourisme agroalimentaire, activité de plus en plus populaire dans notre coin de pays aux espaces verts sans fin. Sans oublier les parfums de ces fruits, car leurs divins effluves sont exploités au niveau commercial, autant sinon plus que les fruits eux-mêmes. On les retrouve dans les parfums corporels, les produits de beauté et sanitaires, les différents parfumeurs de maisons, sur du papier à lettres, des gommettes d'enfants; on les retrouve même mélangés au purin de porc... Eh oui! C'est en Beauce qu'a été inventé ce procédé. Les ingénieux Beaucerons, pour amoindrir les odeurs désagréables liées à l'épandage du lisier de porc sur les terres de culture, ont mis au point un procédé qui consiste à y mélanger des arômes de fraises qui l'emportent sur celle du purin...

Les tartes et confitures qui font les délices des familles québécoises sont légendaires. Mais, les petits fruits, c'est bien davantage. Vous le découvrirez en même temps que les recettes diversifiées que je vous propose.

Saviez-vous que chaque Québécois savoure en moyenne 3 kg de fraises par année? Saviez-vous qu'il existe environ 600 variétés de fraises au monde dont une quinzaine cultivées au Québec.

Et que dire de mon petit fruit préféré, la framboise? La plus facile à cueillir vu la hauteur de ses plants, la plus savoureuse en bouche, la plus facile à apprêter. Sucrée, acide et dotée d'un parfum inimitable, la framboise se prête admirablement bien aux plaisirs sucrés. Elle peut se déguster tout simplement avec une crème chantilly. Assortie de fraises des bois, de mûres et de cassis, elle peut donner lieu à de succulentes salades de fruits. Délicatement couchées sur une pâte sucrée et un lit de crème pâtissière, les framboises seront les vedettes d'une superbe tarte. En coulis, la framboise parfumera et rafraîchira les palais. Accompagnée de champagne, la baie viendra à point nommé pour les soupers et dîners galants. Enfin, elle peut également entrer dans la confection de sauces accompagnant le gibier.

Quant au bleuet, vous serez étonné de découvrir toutes ses propriétés. Certains le préfèrent nature, d'autres ont des envies irrésistibles de les manger de toutes les façons! Vous retrouverez dans ce livre environ vingt-cinq des meilleures recettes répertoriées tout au cours de mes recherches pour chacun des trois petits fruits.

Pour en savoir plus sur ces petits fruits, je vous invite à consulter les quelques sites Internet que j'ai indiqués aux pages 142 et 143.

Précieux et fragiles, sauvages ou cultivés, les petits fruits sont les plus beaux cadeaux de l'été. Voyez maintenant comment on les transforme en gourmandises tout à fait exquises!

# Le Bleuet

## Généralités et historique

Il y a un imbroglio persistant quant à la famille dont fait partie le bleuet. La confusion vient sans doute du fait que, en France, le mot bleuet ou bluet existe également pour désigner une plante d'une tout autre famille, le *Centaurea Cyanus*, une centaurée considérée comme une mauvaise herbe des moissons, qui s'entoure pourtant d'un halo légendaire séduisant. Le générique *Centaurea* rappelle le centaure Chiron, expert en médecine qui, après avoir été frappé au pied par une flèche d'Hercule empoisonnée dans le sang de l'hydre de Lerne, aurait découvert une plante qui a permis sa guérison. Ce centaure est devenu le Sagittaire dans le zodiaque. Le bleuet de nos cousins européens intervient dans la médecine populaire. L'eau distillée de ses fleurs permet d'éclaircir la vue, et c'est pour cela qu'on le surnomme *casse-lunettes*. On extrait également de ses fleurs une teinture bleue.

Quant au fruit qu'au Québec nous désignons sous le nom de bleuet, il fait partie de la famille des airelles ou éricacées, qui compte quelque 260 espèces et dont le nom savant est *Vaccinium*, probablement dérivé de *vaccinus*, un adjectif se rapportant aux vaches!!! Quel est le lien qui existe entre les vaches et le bleuet? Voilà qui n'est pas clair!

Le bleuet se présente sous deux formes très distinctes. La plupart des espèces poussent sur des arbrisseaux ne dépassant guère 30 cm de hauteur et donnant des fruits de 6 à 10 mm de diamètre. Mais il existe aussi des variétés géantes dont la tige atteint plus de 2 m de hauteur et qui produisent des fruits nettement plus gros, soit plus de 15 mm de diamètre. En général, le bleuet nain est plus savoureux que le bleuet géant. Son goût est également plus sucré. Dans tous les cas, le fruit naît d'une fleur en forme de clochette, dont la couleur est blanche, quelquefois rosée, avec une légère teinte verte à la base.

Le fruit est rond et lisse, de couleur bleu plus ou moins foncé selon les variétés et les sols d'implantation. L'une des variétés (*nigra*) tire carrément sur le noir. L'extrémité opposée au pédoncule présente une petite dépression circulaire entourée d'une dentelle. On appelle pruine la fine pellicule cireuse qui recouvre le fruit et qui lui donne son aspect givré. Les graines, minuscules, sont disposées dans la chair du bleuet. Elles sont si petites qu'elles ne gênent en rien la mastication.

Le bleuet pousse naturellement et en abondance à l'état sauvage dans les bois, les savanes, et plus particulièrement sur les massifs rocheux peu élevés (les *crans*, selon l'expression québécoise). Sa culture est relativement récente au Canada et aux États-Unis. Au Saguenay–Lac-Saint-Jean, elle remonte au milieu des années 1960.

On a souvent confondu le bleuet avec la myrtille. Ce n'est pas là une hérésie majeure, puisque les deux sont de la même famille. Mais, semble-t-il, les premiers explorateurs français venus au Saguenay–Lac-Saint-Jean y ont trouvé des myrtilles si grosses qu'ils ont cru indiqué de leur donner un nom différent. C'est ainsi qu'est né le bleuet. Ce petit fruit a par ailleurs acquis la valeur de symbole pour les résidants de la région, à telle enseigne qu'on désigne ces derniers comme des Bleuets. Il y a à Montréal et à Québec des associations de Bleuets, c'est-à-dire de personnes originaires du Saguenay–Lac-Saint-Jean.

La cueillette du bleuet s'inscrit dans les coutumes de la région, au point d'imposer, en saison, un mode de vie particulier. Nombreuses sont les familles qui, au mois d'août, quittent leur demeure et établissent un campement de fortune près des territoires riches de ces petits fruits, qu'elles cueillent à plusieurs, à temps plein, dans le but de les vendre sur un marché remarquablement organisé. Des réjouissances soulignent la saison des bleuets. Ainsi, le Festival du bleuet de Dolbeau-Mistassini est l'occasion de confectionner une tarte géante qui peut sucrer le bec à plus de 100 convives.

# Variétés

L es bleuets qui agrémentent nos collations ou notre table se partagent en trois variétés. Le *Vaccinium myrtilloides* et le *Vaccinium angustifolium* ou *pensylvanicum* sont deux variétés de bleuet nain. La première se retrouve surtout à l'état sauvage; elle disparaît complètement dans les bleuetières cultivées où la seconde variété domine. La tige de la première est légèrement poilue, au contraire de la seconde. En fait, les personnes non averties ne distinguent généralement pas ces deux variétés.

Le *Vaccinium corymbosum* ou *canadense* est la variété représentée par le bleuet géant, dont les tiges peuvent atteindre 3 mètres de hauteur. Il est possible d'opérer des croisements avec le bleuet nain pour produire des plants semi-géants. Aux États-Unis, cette variété est largement cultivée. Elle a été introduite récemment dans le sud du Québec, mais sa fragilité au gel lui interdit de beaucoup progresser vers le nord.

# Propriétés

À mesure que les recherches se poursuivent et qu'on connaît mieux les propriétés du bleuet, ses effets bénéfiques sur la santé se confirment. Le bleuet contient des éléments et des composés fort intéressants, que ce soit de la vitamine C, du potassium, du sodium ou des fibres. On le prétend astringent, antibiotique et antidiarrhéique. Paradoxalement, cela ne semble pas l'empêcher d'être légèrement laxatif et d'agir comme régulateur; rien de plus facile que d'en faire l'expérience.

### Des effets bénéfiques qui s'affirment sans cesse

Les recherches les plus récentes ont mis en évidence les vertus du bleuet comme apport d'antioxydants. Il arriverait premier à ce chapitre, surclassant la plupart des fruits et légumes courants, et certains spécialistes n'hésitent pas à recommander d'en manger tous les jours une large portion. Il faut savoir que les antioxydants traquent dans l'organisme les radicaux libres, des molécules instables qui sont les premiers agents de vieillissement et de détérioration des fonctions vitales naturelles. Certains prétendent même que 90 % des maladies seraient liées à l'oxydation par les radicaux libres. L'antioxydant protège ainsi les cellules du corps contre l'oxydation ou la dégradation. Une bonne hygiène de vie ainsi qu'une alimentation riche en antioxydants contribueraient à ralentir ce processus et à éviter la morbidité. Or, bonne nouvelle, les bleuets sauvages du Lac-Saint-Jean seraient ceux qui contiennent le plus d'anthocyanines.

La prévention du vieillissement concerne également les facultés intellectuelles. La consommation régulière de bleuet permettrait, notamment, de prévenir les pertes de mémoire.

Le bleuet contient beaucoup de tannins et peut prévenir les infections du canal urinaire. Il contient des acides oxaliques, maliques et citriques, d'où ses propriétés : antiseptique, désinfectante et ophtalmique.

### Le traitement de certaines maladies

L'administration d'extraits de feuilles de bleuets provoque une diminution de sucre dans le sang des diabétiques. Elle permettrait même de traiter l'hypoglycémie. Le bleuet, dans ce rôle de « catalyseur » naturel, est en mesure d'améliorer la condition de gens, de plus en plus nombreux à notre époque, qui sont atteints de cette maladie.

Le bleuet soulage l'arthrite et les rhumatismes, de même que l'inflammation des yeux. Il intervient avec bonheur dans le traitement de la jaunisse. Des expériences ont démontré qu'il peut être un support psychologique en combattant les idées noires, la mélancolie, la névrose et même les hallucinations liées à certaines formes de maladie mentale.

## Propriétés diverses étonnantes

L'eau florale de bleuet est préconisée comme lotion démaquillante et plus particulièrement recommandée pour le contour des yeux. Appliquée en compresses, elle aurait la propriété d'éclaircir le teint.

Les acides ellagique et folique contenus dans les bleuets peuvent empêcher le développement de cancers. L'acide folique prévient le cancer du cerveau et peut aussi avoir un effet bénéfique sur le fœtus durant la grossesse. Les anthocyanosides, une substance naturelle contenue dans les bleuets, seraient fatales à la bactérie E Coli, liée à certaines infections particulièrement sévères.

Les avantages d'une diète riche en fibres ne sont plus à démontrer. Les bleuets sont une excellente source de fibres diététiques.

Les Indiens d'Amérique du Nord se servaient de bleuets pour rehausser le goût du pemmican, concoction de viande séchée et de gras. Ils parvenaient à conserver les fruits très longtemps, jusqu'à deux ans, en les faisant bouillir pendant une dizaine d'heures, le temps qu'il fallait pour obtenir une pâte solide qu'ils faisaient sécher au soleil. Les feuilles du bleuet peuvent être infusées, comme le thé.

# Culture

Au Québec, le bleuet est bien connu. Il est particulièrement répandu au Saguenay–Lac-Saint-Jean et en Basse-Côte-Nord, où il s'est intégré à la vie communautaire. On le retrouve surtout à l'état sauvage, principalement en montagne ou dans des endroits où la végétation est peu dense et laissée à elle-même. Le bleuet surgit très souvent dans les abatis; après un feu, il prolifère de façon spectaculaire.

Étant donné la latitude à laquelle il croît, on pourrait s'attendre à ce que le plant de bleuet soit bien adapté aux froids rigoureux. Or, il

11

n'en est rien. La tige du bleuet n'est pas vraiment résistante à la gelée. Son adaptation est plutôt écologique; sa petite taille et la présence de la neige en hiver lui permettent de traverser les grands froids. Cette caractéristique est particulièrement sensible dans les bleuetières, dont les vastes étendues balayées par le vent peuvent empêcher la neige de se fixer. Les grands froids sont alors catastrophiques pour les bleuets, les nouvelles pousses surtout, dont la production à l'été suivant sera grandement affectée.

En général, le bleuet est très vulnérable aux écarts de température et d'humidité. Les gelées tardives au printemps, en attaquant les fleurs, peuvent compromettre la production. Le fruit mûr est frileux et les gelées hâtives d'automne mettent un terme abrupt à la cueillette. Une sécheresse au moment de la floraison a un effet dévastateur sur les crans où le bleuet pousse à la faveur de plaques de mousse qui ne conservent que des réserves d'eau limitées.

Le bleuet sauvage croît bien au soleil, mais il peut supporter aussi l'ombre de sous-bois peu denses. Parce qu'ils offrent des conditions d'humidité plus constantes, les espaces légèrement ombragés présentent souvent des fruits plus gros, quoiqu'en quantité moindre. Les feux de forêts ont un triple effet sur la production du bleuet. Ils émondent les plants radicalement en les rasant au sol; ils leur assurent un apport de matière organique contenue dans la cendre de bois; ils favorisent l'accès des arbustes au soleil en les débarrassant du couvert forestier. La première année qui suit un incendie ne donne aucun fruit. Mais la seconde rattrape le temps perdu. La production diminuera graduellement au fil des ans; lorsque la forêt dense s'installe, le bleuet disparaît.

Dans les bleuetières cultivées, les effets bénéfiques du feu sont obtenus par un émondage systématique, l'épandage d'engrais et le contrôle de la végétation. La culture du bleuet demeure fortement tributaire des conditions climatiques ponctuelles. Elle est aussi soumise aux aléas de la pollinisation où les abeilles jouent un rôle très important, alors même que la faible quantité de nectar dans les fleurs les rend peu attrayantes. Les producteurs disposent souvent des ruches près des bleuetières, à raison de 4 ou 5 par hectare. Et la fleur du bleuet permet la production d'un miel fortement ambré, très odorant, délicieux.

La floraison a lieu au printemps, soit à la fin de mai. Les fleurs donnent rapidement un fruit globuleux, très petit et de couleur verte. La maturation met plusieurs semaines; ce n'est qu'à partir de la mi-juillet que les fruits se gonflent, deviennent roses, puis rouge vif, et finalement bleus. Le mûrissement se fait progressivement, de sorte que plusieurs récoltes successives sont possibles sur un même terrain. La cueillette des fruits mûrs favorise la maturation des autres. Le mois d'août est le plus propice aux récoltes abondantes, mais la cueillette peut se prolonger jusqu'à très tard l'automne, si le gel nocturne n'intervient pas.

Le bleuet préfère les sols légers et sablonneux, bien drainés, riches en matières organiques et très acides. Il pousse dans les sols très pauvres, mais une légère fertilisation permet d'améliorer la production. La sciure de bois, additionnée d'azote autant que possible, demeure l'un des meilleurs engrais pour le bleuet. Elle reproduit les conditions qui favorisent la croissance du bleuet sauvage, surtout après un feu.

### Les ennemis naturels

Curieusement, ce fruit si délicieux a peu d'ennemis naturels, ni non plus de prédateurs trop voraces. Si les oiseaux prélèvent quelques fruits à l'occasion, ils sont loin de représenter un fléau et les producteurs n'ont pas à se préoccuper de protéger leur récolte avec des filets.

L'ours noir est autrement friand de bleuets. Il en consomme de grandes quantités, surtout lorsque la nourriture est peu abondante. Comme la population d'ours demeure limitée sur un territoire donné, il y a peu de chances que toute la récolte se retrouve dans leur gueule gourmande.

Le Saguenay–Lac-Saint-Jean peut s'enorgueillir, encore aujourd'hui et jusqu'à nouvel ordre, de produire un bleuet biologique. Le *Vaccinium*

vit naturellement en symbiose avec un champignon qui lui profite plus qu'il ne lui nuit. Par ailleurs, aucun insecte, présentement, ne force les producteurs à utiliser quelque produit insecticide que ce soit.

Mais nous avons bien dit : jusqu'à nouvel ordre. Il se trouve en effet que les agriculteurs qui ont importé dans le sud du Québec le bleuet géant des États-Unis ont ramené avec lui la mouche du bleuet, qu'ils doivent se résoudre à réprimer chimiquement. Espérons que cet hôte indésirable n'osera pas braver les grands froids qui sévissent plus au nord.

# Conservation

Cueilli au bon moment, le bleuet est plus sucré et se conserve mieux. C'est à la fin du mois d'août que la majorité des bleuets atteignent le maximum de saveur. Ils doivent être cueillis de préférence le matin.

### Achat

Nous devons les acheter ronds, fermes et à l'aspect givré. Au toucher, il est facile de détecter les bleuets plus mous, cueillis depuis trop longtemps. Le transport dans des conditions inadéquates peut rendre les bleuets collants et humides et compromettre leur conservation. Les bleuets qui comportent des taches blanches ne sont pas suffisamment mûrs. Il est à noter toutefois que les bleuets continuent de mûrir une fois cueillis.

### Conservation

Règle générale, les bleuets se conservent bien, mieux que les fraises et les framboises. Pourtant, comme tous les petits fruits, ils demeurent fragiles. On ne doit pas les laver avant de les placer au réfrigérateur, où ils se conserveront plusieurs jours, non sans perdre de leur saveur toutefois à mesure que le temps passe. Les fruits endommagés feront pourrir les autres; il convient de les enlever. Les bleuets peuvent se congeler, se mettre en conserve ou être séchés. On les congèle tels quels après les avoir lavés, triés et asséchés. On peut leur ajouter du sucre pour le goût, mais cela n'est pas nécessaire à la conservation. Ils peuvent ainsi se conserver plusieurs mois durant, mais on ne saurait prétendre qu'ils garderont intactes leur saveur et leur texture. Si on les cuit de toute façon, la différence n'est pas sensible.

### Séchage des bleuets

Il est possible de faire sécher les bleuets. On les étend alors sur du papier d'emballage, répartis en une seule couche qu'on couvre d'un « coton à fromage » pour les garantir de la poussière. Après qu'ils auront séché pendant 11 semaines, on les entreposera dans une boîte rigide, en métal de préférence, entre deux épaisseurs d'essuie-tout. On peut aussi les placer dans des bocaux de verre. Le bleuet séché peut s'employer dans les gâteaux, muffins, galettes, biscuits, etc. Il peut très bien remplacer les raisins secs.

## Trucs et astuces

### Tartes aux bleuets débordantes...

L es tartes aux bleuets ont souvent tendance à déborder. Quand vous déposez vos bleuets dans l'abaisse, ajoutez un peu de tapioca tout autour. On peut aussi saupoudrer de fécule de maïs, plus particulièrement les tartes qui sont faites avec des bleuets congelés.

### Jus de bleuets

Pour obtenir du jus de bleuets, on peut procéder de deux façons : on peut faire bouillir les bleuets de 3 à 4 minutes et les laisser

Le Bleuet

égoutter dans un sac à gelée; on peut aussi écraser des bleuets frais pour en extraire le jus.

### Bleuets et diètes

Plusieurs recettes peuvent être facilement modifiées ou adaptées pour les personnes qui suivent une certaine diète... Exemples : la farine de blé entier – à pâtisserie – peut remplacer la farine blanche; le gras peut être remplacé par une bonne huile; on peut aussi diminuer la quantité de sucre, etc.

### Petits trucs

Le bleuet est une baie. Il est donc très fragile; pour qu'il garde sa consistance dans la pâte, brasser à la cuillère de bois.

Pour que les bleuets soient toujours bien répartis dans la pâte, prendre la précaution de les enrober de farine, de fécule de maïs ou de sucre à glacer selon la recette.

Les muffins, galettes et autres pâtisseries seront encore meilleurs et plus jolis si vous en parsemez le dessus de graines de sésame.

Il est préférable de consommer assez rapidement les pâtisseries faites avec des bleuets congelés, qui ont un goût un peu moins prononcé que les bleuets frais.

### Origines du « cipaille »

Qu'il soit aux bleuets ou à la viande, on ne s'entendra jamais vraiment sur l'origine du cipâte. Selon certains, le mot « cipâte », ou « cipaille », ne serait qu'une interprétation plutôt fantaisiste de l'expression anglaise « sea-pie », alors que d'autres en attribuent l'origine à un plat cuisiné par les Montagnais, qui portait le nom de « chipaille ».

Le
Bleuet

## Sirop pour la grippe

6 c. à table de miel
1 c. à table de jus de citron
1 c. à table de glycérine
2 c. à table de jus de bleuets
Bien mélanger. Prendre 1 c. à table au besoin.

## Lotion aux bleuets pour effacer les rougeurs et rendre la peau plus vivante

1/3 d'eau de bleuets distillée
1/3 d'eau de rose
1/3 d'hamamélis ou de violettes

Le Bleuet

# Recettes

## Brioches aux bleuets

### 24 portions

| 2 | enveloppes de levure | 2 |
|---|---|---|
| 500 ml | eau chaude | 2 tasses |
| 30 ml | sucre | 2 c. à table |
| 500 ml | lait chaud | 2 tasses |
| 2 | œufs battus | 2 |
| 125 ml | sucre | 1/2 tasse |
| 750 ml | bleuets séchés | 3 tasses |
| 60 ml | graisse fondue | 1/4 tasse |
| 7 ml | sel | 1 1/2 c. à thé |
| 2,75 l | farine | 11 tasses |

### Pour des brioches roulées :

| 30 ml | beurre fondu | 2 c. à table |
|---|---|---|
| 60 ml | cassonade | 1/4 de tasse |

1- Mélanger la levure avec l'eau chaude et le sucre (30 ml).
2- Laisser lever 10 minutes.
3- Ajouter les autres ingrédients au mélange ci-dessus.
4- Ajouter la farine pour obtenir une pâte assez ferme.
5- Pétrir la pâte 8 minutes et la diviser en deux.
6- Laisser lever 1 heure et demie.
7- Abaisser et former de petites boules; déposer dans des moules.
8- Laisser lever de 1 heure à 1 heure et demie.
9- Cuire à 190 ˚C (375 ˚F) environ 25 minutes.

**Badigeonner avec du sirop de maïs ou du sirop d'érable.**

# Cipâte aux yeux bleus

### 6 portions

| | | |
|---|---|---|
| 300 g | pâte brisée | 10 oz |
| 75 ml | fécule de maïs | 1/3 tasse |
| 250 ml | eau froide | 1 tasse |
| 185 ml | sucre | 3/4 tasse |
| 2,5 ml | sel | 1/2 c. à thé |
| 5 ml | jus de citron | 1 c. à thé |
| 650 ml | bleuets congelés | 2 3/4 tasses |
| 1 | œuf battu | 1 |

1- Foncer de pâte brisée le fond et les parois d'une casserole de 20 cm (8 pouces) de diamètre (l'ustensile doit pouvoir aller au four).
2- Délayer la fécule de maïs dans l'eau froide.
3- Ajouter le sucre, le sel, le jus de citron, puis les bleuets.
4- Bien mélanger le tout.
5- Verser le tiers de l'appareil dans une casserole.
6- Recouvrir d'une abaisse.
7- Répéter l'opération deux autres fois.
8- Faire une incision au centre des trois abaisses.
9- Badigeonner d'œuf battu la dernière abaisse.
10- Cuire au four à 180 ˚C (350 ˚F) pendant 2 heures, jusqu'à ce que la pâte soit bien dorée.

# Croustade aux bleuets

### 3 à 4 portions

| | | |
|---|---|---|
| 185 ml | **bleuets** | 3/4 tasse |
| 125 ml | **miel** | 1/2 tasse |
| 15 ml | **jus de citron** | 1 c. à table |
| 30 ml | **eau** | 2 c. à table |
| 75 ml | **farine** | 1/3 tasse |
| 185 ml | **gruau** | 3/4 tasse |
| 75 ml | **cassonade** | 1/3 tasse |
| 60 ml | **beurre (ou margarine)** | 1/4 tasse |

1- Mettre dans un moule d'environ 22 x 22 cm (9 x 9 pouces) les bleuets, le miel, le jus de citron et l'eau.
2- Mélanger la farine, le gruau, la cassonade et le gras.
3- Verser sur les bleuets.
4- Cuire à 190 ˚C (375 ˚F) pendant 35 minutes.

# Croustillant aux bleuets

## 6 portions

| | | |
|---|---|---|
| 425 ml | **gruau** | 1 3/4 tasse |
| 125 ml | **cassonade** | 1/2 tasse |
| 60 ml | **farine** | 1/4 tasse |
| 125 ml | **beurre** | 1/2 tasse |
| 375 ml | **bleuets** | 1 1/2 tasse |
| 30 ml | **fécule de maïs** | 2 c. à table |
| 2,5 ml | **muscade** | 1/2 c. à thé |
| 45 ml | **miel** | 3 c. à table |

1- Mélanger le gruau, la cassonade et la farine.
2- Incorporer le beurre frais à l'aide d'un coupe-pâte jusqu'à l'obtention de grumeaux.
3- Verser les bleuets au fond d'un plat.
4- Saupoudrer de fécule et de muscade.
5- Ajouter le miel.
6- Répartir les mottes de beurre.
7- Cuire à 170 ˚C (325 ˚F) 20 minutes.
8- On peut servir avec de la crème ou du yogourt.

# Dessert vite fait aux bleuets

### 4 portions

## Première préparation :

| 125 ml | **beurre** | 1/2 tasse |
| 60 ml | **cassonade** | 1/4 tasse |
| 500 ml | **biscuits Graham émiettés** | 2 tasses |

## Deuxième préparation :

| 1 | **enveloppe de Dream Whip** | 1 |
| 125 ml | **lait froid** | 1/2 tasse |
| 2,5 ml | **extrait de vanille** | 1/2 c. à thé |
| 250 g | **fromage en crème Philadelphia** | 9 oz |
| 250 ml | **sucre à glacer** | 1 tasse |
| 500 ml | **bleuets** | 2 tasses |

## Première préparation :

1- Mélanger le beurre préalablement fondu, la cassonade et les biscuits Graham.
2- Déposer dans un moule.
3- Tasser.

## Deuxième préparation :

1- Battre en neige ferme le Dream Whip, le lait et l'extrait de vanille.
2- Ajouter petit à petit le fromage Philadelphia en mélangeant vigoureusement jusqu'à consistance lisse.
3- Ajouter le sucre à glacer.
4- Déposer sur la première préparation.
5- Étendre les bleuets.
6- Refroidir de 5 à 6 heures.
7- Couper de la façon désirée.

# Fricassée aux bleuets

### 4 à 6 portions

### Sirop :

| 500 ml | bleuets | 2 tasses |
|---|---|---|
| 500 ml | eau | 2 tasses |
| 250 ml | sucre (ou au goût) | 1 tasse |

### Pâte :

| 60 ml | beurre (ou margarine) | 1/4 tasse |
|---|---|---|
| 500 ml | farine | 2 tasses |
| 2,5 ml | sel | 1/2 c. à thé |
| 60 ml | poudre à pâte | 1/4 tasse |
| 125 ml | lait | 1/2 tasse |

### Préparation sirop :

1- Mélanger les bleuets, l'eau et le sucre.
2- Faire bouillir de 3 à 4 minutes.

### Préparation pâte :

1- Défaire le beurre en crème.
2- Ajouter la farine, le sel et la poudre à pâte.
3- Ajouter le lait jusqu'à ce que la pâte ait l'épaisseur désirée (il faut que la pâte soit assez épaisse).
4- Verser la pâte par petites cuillerées dans le sirop.
5- Couvrir et laisser mijoter 20 minutes à feu doux sans lever le couvercle.

Le
Bleuet

# Galette au gruau
# et aux bleuets

## 24 portions

| 2 | **œufs** | 2 |
|---|---|---|
| 500 ml | **cassonade** | 2 tasses |
| 375 ml | **graisse** | 1 1/2 tasse |
| 500 ml | **lait** | 2 tasses |
| 1 l | **farine** | 4 tasses |
| 5 ml | **bicarbonate de soude** | 1 c. à thé |
| 15 ml | **poudre à pâte** | 3 c. à thé |
| 1 l | **gruau** | 4 tasses |
| 250 ml | **bleuets secs** | 1 tasse |
| | **graines de sésame** | |

1- Préchauffer le four à 180 ˚C (350 ˚F).
2- Battre les œufs et incorporer la cassonade.
3- Ajouter la graisse à la température de la pièce et le lait en mélangeant bien.
4- Ajouter graduellement la farine, le bicarbonate de soude, la poudre à pâte, le gruau et les bleuets secs enfarinés.
5- Mélanger le tout.
6- Déposer à la cuillère sur une tôle beurrée.
7- Parsemer de graines de sésame.
8- Cuire jusqu'à ce que les galettes soient dorées.

# Gâteau bleu

### 6 portions

| 500 ml | bleuets frais ou congelés | 2 tasses |
|---|---|---|
| 375 ml | farine | 1 1/2 tasse |
| 2,5 ml | sel | 1/2 c. à thé |
| 10 ml | poudre à pâte | 2 c. à thé |
| 125 ml | graisse | 1/2 tasse |
| 250 ml | sucre | 1 tasse |
| 3 | jaunes d'œufs | 3 |
| 5 ml | extrait de vanille | 1 c. à thé |
| 3 | blancs d'œufs | 3 |

### Jus de bleuets :

1- Écraser les bleuets frais ou congelés.
2- Couler dans un « coton à fromage » ou un tamis fin.
3- Déposer le jus 125 ml (1/2 tasse) dans un plat.

### Gâteau :

1- Préchauffer le four à 180 °C (350 °F).
2- Tamiser ensemble la farine, le sel et la poudre à pâte.
3- Défaire la graisse en crème.
4- Ajouter le sucre, les jaunes d'œufs et l'extrait de vanille.
5- Ajouter en alternant le jus de bleuets et les ingrédients secs.
6- Monter les blancs d'œufs en neige ferme.
7- Incorporer les blancs d'œufs à la pâte en pliant.
8- Cuire environ 35 minutes.
9- Verser dans un moule à gâteau.
10- Glacer avec le glaçage bleu (recette page 30).

Le
Bleuet

# Gâteau frigidaire
# à la mousse aux bleuets

### 6 portions

| 500 ml | crème à fouetter | 2 tasses |
| 375 ml | bleuets | 1 1/2 tasse |
| 1 | pouding instantané à la vanille | 1 |
| 1 | boîte de biscuits Graham | 1 |

1- Fouetter la crème et les bleuets.
2- Préparer le pouding instantané.
3- Placer une couche de biscuits Graham dans un moule en pyrex.
4- Mettre une couche de pouding instantané.
5- Ajouter une couche de crème fouettée.
6- Alterner pour terminer avec la crème fouettée.
7- Laisser environ 6 à 8 heures au réfrigérateur (10 heures maximum) avant de servir.
8- Parsemer de bleuets pour décorer.

# Gâteau-pouding aux bleuets

### 4 portions

### Sirop :

| 500 ml | **sucre** | 2 tasses |
| 500 ml | **bleuets écrasés** | 2 tasses |
| 15 ml | **fécule de maïs** | 1 c. à table |

### Pâte :

| 30 ml | **graisse** | 2 c. à table |
| 125 ml | **sucre** | 1/2 tasse |
| 250 ml | **farine** | 1 tasse |
| 2,5 ml | **sel** | 1/2 c. à thé |
| 12 ml | **poudre à pâte** | 2 1/2 c. à thé |
| 75 ml | **lait** | 1/3 tasse |

### Sirop :

1- Mélanger les ingrédients.
2- Bouillir 6 minutes.
3- Refroidir.

### Pâte :

1- Défaire la graisse en crème.
2- Ajouter le sucre.
3- Tamiser ensemble la farine, le sel et la poudre à pâte et ajouter.
4- Incorporer le lait.
5- Verser le sirop refroidi au fond du moule.
6- Ajouter la pâte.
7- Cuire 30 minutes à 180 ˚C (350 ˚F).
8- Servir chaud ou froid.

# Gâteau santé aux bleuets

## 9 portions

| | | |
|---|---|---|
| 60 ml | **beurre** | 1/4 tasse |
| 500 ml | **bleuets frais** | 2 tasses |
| 10 ml | **jus de citron** | 2 c. à thé |
| 2,5 ml | **cannelle** | 1/2 c. à thé |
| 2 | **œufs** | 2 |
| 125 ml | **huile de tournesol** | 1/2 tasse |
| 160 ml | **raisins secs** | 2/3 tasse |
| 250 ml | **yogourt nature** | 1 tasse |
| 2,5 ml | **extrait de vanille** | 1/2 c. à thé |
| 500 ml | **farine de blé à pâtisserie** | 2 tasses |
| 1 ml | **sel** | 1/4 c. à thé |
| 5 ml | **bicarbonate de soude** | 1 c. à thé |
| 10 ml | **poudre à pâte** | 2 c. à thé |

1- Préchauffer le four à 190 °C (350 °F).
2- Faire fondre le beurre dans un moule de 20 x 20 cm (8 x 8 pouces).
3- Ajouter les bleuets, le jus de citron et la cannelle, réserver.
4- Au mélangeur, battre les œufs, l'huile, les raisins, le yogourt et l'extrait de vanille.
5- Tamiser ensemble la farine, le sel, le bicarbonate de soude et la poudre à pâte.
6- Ajouter graduellement au mélange liquide.
7- Verser délicatement sur la préparation aux bleuets.
8- Cuire 30 minutes.
9- Laisser refroidir avant de renverser.

**Peut se congeler.**

# Glaçage bleu

| 75 ml | **beurre** | 1/3 tasse |
| 1 | **œuf** | 1 |
| 500 ml | **sucre à glacer** | 2 tasses |
| 45 ml | **jus de bleuets** | 3 c. à table |

1- Défaire le beurre en crème.
2- Incorporer l'œuf.
3- Ajouter graduellement le sucre à glacer.
4- Brasser en incorporant le jus de bleuets.
5- Étendre sur le gâteau à l'aide d'une spatule.
6- Décorer avec de gros bleuets.

### Jus de bleuets :

1- Pour obtenir du jus de bleuets, on peut procéder de deux façons : faire bouillir les bleuets 3 à 4 minutes et laisser égoutter dans un sac à gelée. On peut aussi écraser des bleuets frais pour en extraire le jus.

# Grands-pères aux bleuets

### 4 à 6 portions

## Confiture :

| 500 ml | **bleuets** | 2 tasses |
|--------|-------------|----------|
| 60 ml | **sucre** | 1/4 tasse |
| 10 ml | **zeste de citron** | 2 c. à thé |

## Pâte :

| 30 ml | **sucre** | 2 c. à table |
|-------|-----------|--------------|
| 2,5 ml | **sel** | 1/2 c. à thé |
| 20 ml | **poudre à pâte** | 4 c. à thé |
| 250 ml | **lait** | 1 tasse |
| 125 ml | **beurre (ou margarine)** | 1/2 tasse |
| 500 ml | **farine** | 2 tasses |

## Confiture :

1- Mélanger les bleuets, le sucre et le zeste.
2- Faire bouillir 3 minutes.

## Pâte :

1- Mélanger tous les ingrédients en terminant par la farine.
2- Verser la pâte par cuillerées dans la confiture chaude.
3- Cuire à feu doux de 20 à 25 minutes.
4- Servir chaud ou froid.

# Mousse aux bleuets

## 4 portions

| 3 | blancs d'œufs | 3 |
| 250 ml | bleuets | 1 tasse |
| 160 ml | sucre | 2/3 tasse |
| 1 ml | extrait de vanille | 1/4 c. à thé |

1- Monter les blancs d'œufs en neige.
2- Ajouter graduellement les bleuets, le sucre et l'extrait de vanille.
3- Peut servir pour garnir un gâteau, une tarte ou un autre dessert aux bleuets.

**Peut être congelée pour faire des popsicles!**

# Muffins à la crème sure et aux bleuets

## 12 portions

| 1 | œuf | 1 |
|---|---|---|
| 250 ml | **crème sure** | 1 tasse |
| 60 ml | **huile** | 1/4 tasse |
| 425 ml | **farine tout usage** | 1 3/4 tasse |
| 5 ml | **bicarbonate de soude** | 1 c. à thé |
| 250 ml | **sucre** | 1 tasse |
| 2,5 ml | **sel** | 1/2 c. à thé |
| 250 ml | **bleuets frais** ou **congelés** | 1 tasse |

1- Préchauffer le four à 200 °C (400 °F).

2- Prendre un robot culinaire avec lame de métal.

3- Ajouter l'œuf, la crème sure et l'huile; faire fonctionner 5 secondes.

4- Ajouter la farine, le bicarbonate de soude, le sucre et le sel; faire fonctionner une ou deux fois.

5- À l'aide d'une spatule, incorporer délicatement les bleuets.

6- Répartir dans des moules à muffins; les remplir aux 2/3.

7- Cuire au four de 15 à 20 minutes.

# Muffins au son, à l'avoine et aux bleuets

### 12 portions

| | | |
|---|---|---|
| 160 ml | **farine de blé entier** | 2/3 tasse |
| 125 ml | **farine tout usage** | 1/2 tasse |
| 250 ml | **cassonade** | 1 tasse |
| 15 ml | **levure chimique** | 1 c. à table |
| 1 ml | **cannelle** | 1/4 c. à thé |
| 2,5 ml | **sel** | 1/2 c. à thé |
| 185 ml | **flocons d'avoine** | 3/4 tasse |
| 1 | **gros œuf** | 1 |
| 250 ml | **lait** | 1 tasse |
| 45 ml | **beurre fondu** | 3 c. à table |
| 250 ml | **bleuets frais** | 1 tasse |

1- Préchauffer le four à 200 ˚C (400 ˚F).
2- Dans un grand bol, mélanger les farines, la cassonade, la levure chimique, la cannelle et le sel.
3- Incorporer les flocons d'avoine.
4- Dans un petit bol, battre l'œuf puis incorporer au fouet le lait et le beurre.
5- Incorporer les ingrédients liquides aux ingrédients secs, sans trop les mélanger.
6- Incorporer les bleuets et remplir aux 3/4 les moules à muffins graissés.
7- Faire cuire au four de 18 à 20 minutes.
8- Lorsque les muffins sont cuits, les sortir du four et laisser reposer quelques minutes.
9- Démouler sur une grille et laisser refroidir.

# Muffins aux bleuets

## 12 portions

| | | |
|---|---|---|
| 250 ml | **gruau** | 1 tasse |
| 250 ml | **lait sur\*** | 1 tasse |
| 1 | **œuf battu** | 1 |
| 60 ml | **beurre** | 1/4 tasse |
| 185 ml | **cassonade** | 3/4 tasse |
| 250 ml | **farine blanchie** ou de blé entier | 1 tasse |
| 10 ml | **poudre à pâte** | 2 c. à thé |
| 2,5 ml | **sel** | 1/2 c. à thé |
| 2,5 ml | **bicarbonate de soude** | 1/2 c. à thé |
| 250 ml | **bleuets frais** ou décongelés | 1 tasse |

1- Préchauffer le four à 200 ˚C (400 ˚F).

2- Mélanger le gruau et le lait sûr.

3- Laisser reposer 5 minutes.

4- Ajouter l'œuf, le beurre et la cassonade.

5- Tamiser ensemble la farine, la poudre à pâte, le sel et le bicarbonate de soude.

6- Ajouter ces ingrédients au premier mélange.

7- Incorporer délicatement les bleuets.

8- Remplir les moules aux 3/4.

9- Cuire de 15 à 22 minutes.

**Meilleurs chauds!**

**\*Pour faire surir 250 ml (1 tasse) de lait,
ajouter 2 ml (1/2 c. à thé) de vinaigre et laisser reposer
à la température de la pièce.**

Le
Bleuet

# Muffins aux bleuets
# à Colette

### 12 portions

| | | |
|---|---|---|
| 500 ml | **farine** | 2 tasses |
| 125 ml | **sucre** | 1/2 tasse |
| 15 ml | **poudre à pâte** | 3 c. à thé |
| 2,5 ml | **sel** | 1/2 c. à thé |
| 250 ml | **bleuets** | 1 tasse |
| 5 ml | **zeste de citron** ou d'orange | 1 c. à thé |
| 185 ml | **lait** | 3/4 tasse |
| 75 ml | **huile** | 1/3 tasse |
| 1 | **œuf battu** | 1 |

1- Mélanger les ingrédients secs, les bleuets et le zeste.

2- Mélanger le lait, l'huile et l'œuf.

3- Ajouter aux ingrédients secs.

4- Cuire 18 à 20 minutes à 190 ˚C (375 ˚F).

5- Au sortir du four, badigeonner de beurre fondu et saupoudrer de sucre.

# Pain aux bleuets

## 1 pain moyen

| | | |
|---|---|---|
| 750 ml | **bleuets mûrs** | 3 tasses |
| 2 | **œufs** | 2 |
| 185 ml | **sucre** ou de miel | 3/4 tasse |
| 125 ml | **graisse** | 1/2 tasse |
| 500 ml | **farine** | 2 tasses |
| 5 ml | **bicarbonate de soude** | 1 c. à thé |
| 5 ml | **sel** | 1 c. à thé |
| 10 ml | **poudre à pâte** | 2 c. à thé |
| 125 ml | **noisettes hachées** | 1/2 tasse |

1- Préchauffer le four à 180 ˚C (350 ˚F).
2- Écraser les bleuets.
3- Ajouter les œufs.
4- Battre en mousse.
5- Ajouter le sucre ou le miel et la graisse.
6- Tamiser ensemble la farine, le bicarbonate de soude, le sel et la poudre à pâte.
7- Ajouter les noisettes.
8- Mélanger le tout.
9- Verser dans un moule à pain beurré.
10- Cuire environ 1 heure.
11- Laisser refroidir avant de couper.

**Se congèle bien.**

# Pouding ancien aux bleuets

## 6 portions

| | | |
|---|---|---|
| 750 ml | **bleuets** | 3 tasses |
| 75 ml | **sucre** | 1/3 tasse |
| 30 ml | **jus de citron** | 2 c. à table |
| 60 ml | **beurre** | 1/4 tasse |
| 125 ml | **sucre** | 1/2 tasse |
| 185 ml | **farine** | 3/4 tasse |
| 5 ml | **poudre à pâte** | 1 c. à thé |
| 1 ml | **sel** | 1/4 c. à thé |
| 1 pincée | **cannelle** | 1 pincée |
| 1 pincée | **muscade** | 1 pincée |
| 125 ml | **lait** | 1/2 tasse |

1- Beurrer un moule carré.
2- Mettre les bleuets dans le moule, saupoudrer de sucre et arroser de jus de citron.
3- Bien travailler ensemble le beurre et le sucre.
4- Tamiser ensemble les ingrédients secs et les ajouter au mélange en alternant avec le lait.
5- Étendre la pâte uniformément sur les fruits.
6- Cuire 30 minutes, à 200 ˚C (400 ˚F).

**Servir tiède avec crème ou crème glacée.**

# Pouding au riz et aux bleuets

## 2 à 3 portions

| | | |
|---|---|---|
| 1 ou 2 | **œufs** | 1 ou 2 |
| 125 ml | **sucre** ou de **miel** | 1/2 tasse |
| 250 ml | **riz cuit** | 1 tasse |
| 500 ml | **lait** | 2 tasses |
| 30 ml | **crème** ou **yogourt** | 2 c. à table |
| | **jus d'un demi-citron** | |
| 2,5 ml | **muscade** | 1/2 c. à thé |
| 185 ml | **bleuets séchés** | 3/4 tasse |
| 15 ml | **fécule de maïs** | 1 c. à table |

1- Battre les œufs avec le sucre ou le miel.
2- Ajouter le riz et le lait.
3- Bien mélanger et cuire au bain-marie jusqu'à épaississement.
4- Retirer du feu.
5- Incorporer la crème, le jus de citron, la muscade, les bleuets enfarinés de fécule de maïs.
6- Mélanger.
7- Cuire de nouveau 5 minutes.
8- Verser dans des coupes à dessert.

Le
Bleuet

# Renversé aux bleuets

### 4 à 6 portions

## Premier mélange :

| | | |
|---|---|---|
| 75 ml | **graisse** ou **de beurre** | 1/3 tasse |
| 250 ml | **sucre** | 1 tasse |
| 1 | **œuf** | 1 |
| 375 ml | **farine** | 1 1/2 tasse |
| 2,5 ml | **sel** | 1/2 c. à thé |
| 15 ml | **poudre à pâte** | 3 c. à thé |
| 185 ml | **lait** | 3/4 tasse |

## Deuxième mélange :

| | | |
|---|---|---|
| 75 ml | **beurre** | 1/3 tasse |
| 125 ml | **cassonade** | 1/2 tasse |
| 375 ml | **bleuets** | 1 1/2 tasse |

## Premier mélange :

1- Défaire la graisse en crème.
2- Ajouter le sucre et l'œuf et bien battre.
3- Ajouter les ingrédients secs (la farine, le sel, la poudre à pâte) en alternant avec le lait.
4- Battre pour former une pâte.

## Deuxième mélange :

1- Préchauffer le four à 180 °C (350 °F).
2- Faire fondre le beurre et la cassonade et incorporer les bleuets.
3- Déposer le tout dans une casserole.
4- Verser la première préparation sur le dessus.
5- Cuire pendant 35 minutes.
6- Renverser sur une assiette.
7- Attendre une douzaine de minutes avant de démouler.

40

# Sucre à la crème aux bleuets

## 24 portions

| 625 ml | cassonade | 2 1/2 tasses |
|--------|-----------|--------------|
| 45 ml | beurre | 3 c. à table |
| 15 ml | sirop de maïs | 1 c. à table |
| 500 ml | crème 35 % | 2 tasses |
| 8 | grosses guimauves | 8 |
| 5 ml | extrait de vanille | 1 c. à thé |
| 2,5 ml | sel | 1/2 c. à thé |
| 185 ml | bleuets | 3/4 tasse |
| 30 ml | sucre à glacer | 2 c. à table |

1- Mélanger tous les ingrédients sauf les bleuets et le sucre à glacer et porter à ébullition.

2- Réduire le feu et laisser mijoter 15 minutes.

3- Retirer du feu.

4- Brasser jusqu'à épaississement, puis laisser refroidir.

5- Ensuite ajouter les bleuets enrobés du sucre à glacer.

6- Remuer délicatement.

7- Verser dans un moule en verre préalablement beurré.

8- Laisser refroidir environ 1 heure.

9- Couper en carrés.

**On peut ajouter 60 ml (1/4 tasse) de noisettes.**

# Tarte irrésistible

### 6 à 8 portions

| | | |
|---|---|---|
| 250 ml | **crème 35 %** | 1 tasse |
| 250 ml | **sirop d'érable** | 1 tasse |
| 45 ml | **beurre** | 3 c. à table |
| 45 ml | **farine** | 3 c. à table |
| 250 ml | **bleuets,** | 1 tasse (ou au goût) |
| | **framboises** ou **fraises** | |
| 1 | **fond de tarte de pâte brisée** | 1 |
| | ou | |
| | **de biscuits Graham** | |

1- Mélanger la crème et le sirop d'érable sur feu doux, jusqu'à frémissement.
2- Retirer du feu.
3- Épaissir avec le beurre manié (3 c. à table de farine et 3 c. à table de beurre).
4- Ajouter délicatement la tasse de fruits au choix.
5- Verser dans une assiette à tarte garnie d'un fond de pâte brisée déjà cuite ou d'un fond de tarte de biscuits Graham.
6- Garnir à nouveau avec des fruits.
7- Réfrigérer au moins 4 heures avant de servir.

# Winnissimin ou friture aux bleuets

### 12 portions

| | | |
|---|---|---|
| 1 1/4 l | **farine tout usage** | 4 1/4 tasses |
| 400 ml | **bleuets** | 1 3/4 tasses |
| 60 ml | **poudre à pâte** | 4 c. à table |
| 6 | **œufs battus** | 6 |

**huile de maïs, de tournesol
ou autre huile végétale pour la friture**

1- Dans un bol, mélanger tous les ingrédients sec.
2- Pressez un peu les bleuets pour obtenir 125 ml (1/2 tasse) environ de jus; battre les œufs dans le jus jusqu'à ce que le mélange soit crémeux.
3- Incorporer le mélange jus-œufs ainsi que les bleuets aux ingrédients sec.
4- Jeter des boules de pâte dans l'huile chaude. Laisser dorer.
5- Égoutter et servir chaud.

# La Fraise

## Historique

En botanique, la fraise est désignée par le mot latin *Fragaria*. Il s'agit d'un dérivé du substantif *fragum*, bonne odeur, ou encore du verbe *fragare*, qui signifie sentir bon. Le mot *fraise* lui-même est issu de l'évolution de *fragaria* depuis le latin médiéval jusqu'au français d'aujourd'hui. Pensez que le mot fragrance est de la même famille, bien qu'il soit la conséquence d'une évolution différente.

On ne sera donc pas surpris d'apprendre que, ce qui a d'abord frappé les cueilleurs de l'Antiquité dans la fraise, c'est son parfum. Dès l'époque romaine, les fraises servent dans la parfumerie et on en fait notamment des masques de beauté. Les vertus thérapeutiques de ce fruit rouge sont également connues depuis une époque ancienne. Si on ne s'est avisé que plus tard de son goût délicat, il n'en rehausse pas moins la gastronomie déjà longtemps avant notre ère. Au Moyen Âge, nombreux sont ceux qui le considèrent comme miraculeux, susceptible de guérir toutes les maladies et d'assurer aux gourmets la longévité. Une réputation sans doute surfaite, mais que les recherches contemporaines contribuent tout de même à justifier.

Jusqu'à la fin des croisades, on ne connaissait que les fraises sauvages. Ce n'est qu'à ce moment qu'on a commencé à en faire la culture pour produire des fruits légèrement plus volumineux.

Mais la véritable révolution dans la culture du fraisier ne survint que dans les premières décennies du XVIIIe siècle. Cela se produisit en France, où un jardinier aventureux eut l'idée de croiser deux variétés, l'une européenne, l'autre américaine. Il obtint des fruits énormes, dont la production se répandit rapidement, tout en se diversifiant en une multitude de variétés.

À proprement parler et pour le botaniste scrupuleux, la fraise n'est pas un fruit. C'est plutôt une fleur qui se comporte de façon inhabituelle. Dans le chapitre traitant du bleuet, nous avons vu comment les fleurs, une fois fécondées, se fanent pour laisser se développer à leur place et sur le même pédoncule un fruit qui mûrira avec le temps. La graine, alors, se retrouve à l'intérieur du fruit. Observez maintenant la fraise. La graine n'est pas à l'intérieur, mais plutôt comme déposée sur la chair rouge. Ce sont les akènes, qui sont en fait les véritables fruits du fraisier. Quant à la chair juteuse, il s'agit du support floral qui a renflé et qui est devenu charnu. Heureusement pour les amateurs, cela ne change pas le goût. Pour éviter les périphrases et les distinctions trop lourdes, nous continuerons d'appeler la fraise un fruit dans les pages qui suivent.

Le fraisier est constitué d'une sorte de souche, le rhizome, d'où se projettent les feuilles, ainsi que les pédoncules qui supportent les fleurs. Le fraisier est prudent : il ne se contente pas, pour se reproduire, d'abandonner des graines dans la nature. Le rhizome produit aussi des courants, ou stolons, au bout desquels un nouveau plant se forme et s'enracine spontanément. En saison de production, on enlève souvent ces stolons dès leur apparition, de manière à ce que le plant concentre son énergie sur la fructification.

Le fraisier a un cycle vital qui s'étend sur trois ans. Il se développe au cours de la première année pour donner des fruits pendant les deux années suivantes. Par la suite, la production chute dramatiquement, de sorte qu'il vaut mieux prévoir d'avance de nouveaux espaces de culture que de s'obstiner à stimuler les anciens.

# Espèces et variétés

En Europe et en Asie, on retrouve l'espèce sauvage du fraisier nommée *Fragaria vesca*. Cette variété est très peu représentée en Amérique, où l'on trouve cependant une de ses proches parentes, la *Fragaria americana*. La *Fragaria virginiana* croît en Amérique du Nord, tandis que la *Fragaria chiloensis* provient de l'Amérique du Sud. Ces espèces sauvages ont été croisées pour donner la fraise cultivée, dont le rendement est beaucoup plus considérable, ce qui en rend la culture intéressante pour l'entreprise agricole. Les fraisiers sauvages donnent beaucoup de fruits, mais si petits qu'il serait vain de vouloir en produire à une échelle commerciale.

Aujourd'hui, les fraises cultivées sont représentées sous quelque six cents variétés. Les producteurs québécois en cultivent une quinzaine. Plusieurs raisons justifient cet éclectisme : résistance à certaines maladies, type de sol, goûts du public, etc. Le souci de prolonger la saison de commercialisation de la fraise a également présidé à la multiplication des variétés. Certaines sont plus hâtives et sont cueillies à la mi-juin; d'autres, plus tardives, arrivent à maturité en juillet et août, alors que certaines, les fraises d'automne, se récoltent jusqu'à la mi-octobre. Les grandes fraisières se retrouvent surtout à l'île d'Orléans, à Montmagny, Terrebonne et Deux-Montagnes.

Les étiquettes apposées sur les contenants de fraises que l'on retrouve sur le marché mentionnent rarement la variété en cause. Cependant, les fraises affichent des formes et des aspects divers selon la variété. Le fruit peut être allongé, conique, cunéiforme ou trapu. Il est plus ou moins charnu et sa couleur varie du rouge orangé au rouge très foncé.

### Les fraises sauvages des champs

Les fraises des champs envahissent facilement les terres cultivées et les pacages. Elles manifestent une prédilection pour les endroits plus pauvres, où l'herbe pousse moins dru, de façon à pouvoir profiter davantage de soleil. Elles y forment des talles circulaires, une expression de chez nous qui évoque bien cette réalité. Les fraisiers sauvages sont prompts à coloniser les terrains sablonneux, neutres ou très légèrement acides. Elles y allongent rapidement leurs stolons et y forment souvent la seule végétation, comme c'est le cas sur les berges graveleuses des fossés qui longent les routes. Si vous renoncez à fertiliser votre gazon et qu'il se fait plus rare, il se pourrait bien que la fraise des champs s'y installe. Elle régressera dès que la terre redeviendra plus propice à la croissance de l'herbe.

Les fraises sauvages sont petites, mais juteuses, sucrées et fortement parfumées. Elles sont délicieuses au goût, nettement plus, d'ailleurs, que les fraises cultivées. Les familles campagnardes du Québec ont une longue tradition de cueillette des petites fraises, dont elles font principalement des confitures au goût unique. La récolte de la fraise des champs exige beaucoup de patience, c'est même une entreprise quelque peu décourageante. Mais le résultat vaut largement l'effort. La saison des fraises des champs est très courte, elle ne dépasse que rarement trois semaines. Il faut en profiter lorsqu'elle est là.

## Les fraises des bois

Ce petit fruit, plus ou moins de la taille de notre fraise des champs, est assez commun en Europe, dans les boisés peu profonds et sur les flancs des montagnes. En Amérique, il n'est guère représenté et il est très rare qu'on en retrouve sur les étals. Les fraises qu'on cultive en jardinières suspendues sont plutôt des quatre-saisons, des variétés qui fructifient tout l'été et qui ne produisent pas de stolons. Ces variétés de fraises sont dites remontantes; il ne faut pas les appeler « grimpantes », car on doit les attacher soi-même.

## Un cadeau inespéré

Parmi les événements importants qui ont marqué l'histoire des fraises, il en est un qui s'est produit tout près de nous, soit il y a une dizaine d'années : il s'agit de la découverte de la fraise d'automne. Celle-ci fructifie jusqu'à la mi-octobre, contribuant ainsi de façon remarquable à la prolongation de la saison des fraises. Si vous en voyez au marché à cette époque de l'année, ne vous étonnez pas. Il s'agit bien de fraises fraîches, tout aussi juteuses et sucrées que leurs grandes sœurs, les vedettes de juillet.

La fraise d'automne exige beaucoup d'efforts des producteurs. Les rhizomes ne donneront qu'une seule récolte. On les met en terre au printemps, de manière à ce qu'ils se développent à travers les trous pratiqués dans une membrane de plastique foncé dont on recouvre le sol pour en augmenter la chaleur et la conserver. Le plant croît rapidement, pour donner son fruit à partir de la fin de juillet. L'irrigation se fait à l'aide de tubulures qui calibrent exactement l'eau dont chaque pied de fraise a besoin. C'est la technique du goutte à goutte. À la fin de la saison, les rhizomes sont arrachés. Les champs sont prêts à accueillir la culture de l'année suivante.

Au cours de sa croissance, le fraisier d'automne est l'objet de beaucoup d'attentions. On ne conserve qu'un nombre limité de fleurs et les stolons sont éliminés sans merci, afin que le plant consacre toute sa vigueur à la production. C'est une culture exigeante, mais dont le produit ne manque jamais de séduire et de réjouir les amateurs.

# Caractéristiques

### Tonique

Nous l'avons vu, les dames de l'Antiquité utilisaient la fraise dans leurs soins de beauté. Cet usage ne s'est pas perdu, il se perpétue encore aujourd'hui. On dit que les fraises font une peau douce et claire, qu'elles tonifient la peau, combattent les rides et les taches de rousseur. On les dit même aphrodisiaques.

La Fraise

## Information nutritionnelle

Sur le plan de la nutrition, la fraise se comporte comme la plupart des autres fruits. Elle est légère en calories, exempte de cholestérol et de gras saturés, elle est facile à digérer et elle contient de nombreuses vitamines, ainsi que plusieurs acides aminés, très importants pour l'organisme. En fait, on peut en manger à satiété avec beaucoup d'avantages et un minimum d'inconvénients.

En plus de la vitamine C, les fraises sont une source généreuse de potassium et une bonne source de magnésium et d'acide folique. Les racines et les feuilles du fraisier sont astringentes; elles possèdent des tannins qui, infusés, peuvent soulager la dysenterie, la diarrhée et l'entérocolite. L'infusion de racines agit comme diurétique. Le fruit lui-même consommé en grande quantité est laxatif.

La fraise est rafraîchissante et stimulante. Contre la goutte, elle aide à éliminer l'acide urique. Contre le diabète, son sucre, le lévulose, est facilement assimilable. Contre les rondeurs, sa teneur en sucre est limitée.

## Composition moyenne de la fraise pour 100 g

90 % d'eau, 6 g de glucides, 0 g de protides, 0 g de lipides, 100 kJ en énergie.

## Risques d'allergie

Nombreuses sont les personnes allergiques aux fraises. En général, cette allergie se manifeste par une réaction sans grande conséquence, une éruption cutanée bénigne qui disparaît presque aussitôt. Les cas d'allergie sévère sont extrêmement rares, sinon inexistants. Ce qui ne veut pas dire qu'on doive prendre à la légère les signaux d'alerte de l'organisme. On a déjà cru qu'en insistant, on pouvait guérir l'allergie. Les données à cet égard ne permettent pas, au contraire, de soutenir cette affirmation.

La
Fraise

Quelques trucs prétendent contrer les allergies, qu'il faut tout de même aborder avec circonspection. Il semble que le fait de laver les fraises à l'eau citronnée et d'enlever les akènes débarrasse le fruit de ses substances allergènes. De faire tremper les fraises dans un vin sucré pendant au moins 30 minutes agirait aussi dans certains cas. Ces deux méthodes peuvent changer un peu le goût des fraises, mais le plaisir de déguster un aliment délicieux n'en est nullement amoindri.

# Horticulture

Les rhizomes utilisés dans la culture sont plantés en rangs suffisamment distancés pour permettre au plant de croître normalement et de projeter ses stolons sans entraver la libre circulation. On laisse de 50 à 60 centimètres entre les rhizomes.

Lorsque les fraises nous sont accessibles, soit sur le marché, soit chez les producteurs où on peut acheter ou cueillir les fruits, on ne s'imagine pas tout le travail qui précède la dégustation. En tant que princesse de la gourmandise, la fraise a des caprices de diva, auxquels l'agriculteur n'a pas le choix de se soumettre. Les arbustes fruitiers se vengent sans délai des négligences dont ils font les frais : ils cessent de produire.

Si les fraises des champs ont besoin de beaucoup de soleil, cela est d'autant plus vrai pour le fraisier cultivé dont on attend une production intensive. La quantité de sucre contenue dans le fruit est fonction de l'ensoleillement. L'humidité est tout aussi essentielle, particulièrement au moment de la formation des fruits. Dans la préparation du site de culture, on sera donc très vigilant sur le drainage; le défi est de garder la terre humide en tout temps, tout en empêchant l'accumulation d'eau sur le sol, même après une pluie. Les producteurs protègent les plants à l'aide d'un paillis. Cette mesure permet un apport continuel de matières organiques, par décomposition, en même temps qu'elle évite aux fraises de toucher directement le sol; en effet, une fraise qui s'appuie sur la terre pourrira très rapidement.

Règle générale, la pollinisation se fait naturellement, de par l'intervention des insectes et l'action du vent. La fertilisation de chaque pistil contribue à la production d'une belle fraise, harmonieuse de forme et de couleur; ce sont les akènes issus de chaque pistil fécondé qui déterminent le développement de la partie du fruit où ils se trouvent; les pistils non fécondés laisseront une dépression dans le fruit.

Lorsqu'on le désire, on peut favoriser l'enracinement des nouvelles pousses qui se forment au bout des stolons en les recouvrant d'un peu de terre ou en les forçant à rester bien appuyés au sol à l'aide d'un objet pesant.

Toutes les fraises ne mûrissent pas en même temps. La maturation se fait toujours de façon graduelle, de sorte que la cueillette doit être effectuée à plusieurs reprises, à au plus deux jours d'intervalle entre chaque récolte. Il ne servirait à rien de cueillir les fraises incomplètement mûres. Une fois séparées du plant, elles ne mûrissent plus ou presque. Il faut cueillir à point. Et, très important : une fraise sans queue se fane et se gâte rapidement. Il faut les séparer du pied en conservant le pédoncule.

# Manipulation

Comme la plupart des petits fruits, les fraises sont périssables. Si l'on veut établir un classement, nous dirons qu'elles sont plus fragiles que les bleuets, mais moins que les framboises, cependant. Il faut donc les consommer rapidement, à moins qu'on ne leur fasse subir l'un des traitements décrits ci-après. À la température de la pièce, les fraises ne se conserveront guère plus d'une journée. Placées au réfrigérateur ou dans un endroit frais, elles tiendront deux ou trois jours, quelquefois quatre.

## Conservation

Bien entendu, la transformation en gelée ou en confiture et la mise en conserve règle radicalement le problème de la conservation. Mais il y a aussi d'autres trucs. Le sucre agit en quelque sorte comme antiseptique. Plus il est concentré, plus il permettra aux fraises de durer au réfrigérateur. C'est aussi un antigel. Mélangez aux fraises un poids égal de sucre et placez le tout au congélateur, dans un sac à congélation ou dans un récipient de plastique certifié alimentaire. Vous constaterez qu'un tel mélange, qui se transforme en un liquide assez épais où flottent les fruits, ne gèle pas, mais qu'il peut se conserver tout l'hiver, sans que le goût des fraises soit trop profondément altéré.

On peut aussi congeler les fraises à plat dans un sac. Une autre façon consiste à les étendre dans une assiette ou une plaque métallique pour les faire congeler. Dès qu'elles sont gelées, on les dépose dans un sac et on les remet au congélateur. Ainsi, les fraises ne sont pas amalgamées et on peut en prélever selon le besoin.

Parce qu'elles exposent à l'air une surface moins grande, les fraises entières conservent mieux leurs vitamines et leur valeur nutritive que les fraises coupées ou écrasées. Si on y ajoute du jus de citron ou de pomme, on minimise la déperdition de vitamine C. Les fraises nature congelées garderont leur forme si on ne les décongèle pas complètement avant de les servir. L'ajout de sucre ou de jus d'agrume protège la belle couleur des fraises.

## Achat

Lorsque vous achetez des fraises, il vous faut être vigilant. La fraîcheur du fruit, bien entendu, affecte la durée de conservation. Les fruits affichent diverses couleurs, selon la variété. Mais si les fraises sont fraîches, leur couleur est éclatante; le pédoncule est bien vert, non fané; le fruit est ferme et les akènes ne saillent pas trop en surface. Il est préférable de n'acheter que de petites quantités à la fois pour la consommation courante. Stocker des fraises nature pour l'avenir, c'est s'exposer à encourir des pertes.

Une fois que les fraises ont été équeutées, il convient de ne leur faire subir qu'un minimum de manipulations. C'est avant qu'elles peuvent être transportées ou lavées. Après, il faut les consommer dans les plus brefs délais.

Le lavage lui-même doit être fait délicatement, en évitant les jets trop forts. On ne doit pas les faire tremper dans l'eau. Leur saveur en serait altérée.

# Des fraises insolites

### Quelques dérapages sémantiques

La plaisanterie et l'argot se nourrissent de tout, même des meilleurs fruits, et la fraise a beaucoup inspiré leur esprit d'invention. *Sucrer les fraises*, c'est trembler de façon incontrôlable et, par extension, être vieux et malade. Enfin, la *fraise* désigne argotiquement le visage, ou même toute la personne, selon une tradition qui s'obstine à assimiler la tête à un fruit ou à un légume.

Selon les écrits d'Albert le Grand, pour se promener tranquillement dans un endroit « à serpents », il faut se munir de feuilles de fraisier, « car aussitôt qu'un serpent sent les feuilles de cet arbre, il prend la fuite. Cela est si vrai que, si l'on fait comme un cercle avec ces feuilles, et qu'ensuite on mette au milieu un serpent vif, il y demeurera sans se remuer, de même que s'il était mort : que si l'on fait du feu proche de ce cercle, et que l'on fasse une ouverture du même côté où sera allumé le feu, ce serpent aimera mieux se jeter dans le feu que de rester au milieu de ces feuilles. »

La Fraise

## Une légende autochtone

Les Indiens Ojibwa de l'Ontario croient que, lorsqu'un homme meurt, il erre jusqu'à ce qu'il rencontre une fraise à l'apogée de sa maturité. S'il la mange, il a immédiatement accès au Pays des Morts et il peut jouir du repos éternel.

# Cueillette

Où aller pour cueillir ces petits fruits ou les acheter directement du producteur? Vous avez accès à la liste complète des producteurs de fraises du Québec sur le site Internet de l'Association des producteurs de fraises et de framboises du Québec :

www.fraisesetframboisesduquebec.com

Également, par l'entremise du site de l'Association, vous pouvez avoir accès aux coordonnées des producteurs certifiés biologiques, ces derniers devant répondre aux exigences d'un cahier de charges qui couvre l'ensemble du processus de production.

Fraise

# Recettes

## Bavarois aux petits fruits
### 4 à 5 portions

| | | |
|---|---|---|
| 435 ml | **petits fruits surgelés (égouttés)** | 1 3/4 tasse |
| 3 | **sachets de gélatine sans saveur** | 3 |
| 125 ml | **eau froide** | 1/2 tasse |
| 60 ml | **eau bouillante** | 1/4 tasse |
| 75 ml | **sucre** | 1/3 tasse |
| 15 ml | **jus de citron** | 1 c. à table |
| 410 ml | **crème 35 %** | 1 2/3 tasse |
| 3 | **blancs d'œufs moyens, montés en neige** | 3 |

### Décoration :

**petits fruits** ou **feuilles de menthe, au goût**

1- À l'aide du robot culinaire, réduire les petits fruits en purée; réserver.
2- Faire gonfler la gélatine dans l'eau froide et faire dissoudre dans l'eau bouillante en remuant avec une cuillère de bois.
3- Ajouter ensuite le sucre et continuer de remuer jusqu'à ce qu'il soit dissout.
4- Incorporer aux fruits le contenu de la casserole et le jus de citron, mettre en attente au réfrigérateur jusqu'à ce que le mélange commence à prendre.
5- Dans un autre bol, fouetter la crème; réserver.
6- Incorporer successivement la crème et les blancs d'œufs à la purée de fruits.
7- Verser dans le(s) moule(s) et laisser prendre au moins 3 heures dans le réfrigérateur.
8- Démouler le bavarois sur un plat de service (ou sur des assiettes à dessert), garnir de petits fruits et de feuilles de menthe.

# Blizzard aux fraises

## 8 portions

| | | |
|---|---|---|
| 85 g | **poudre pour gélatine** | 3 oz |
| | **à saveur de fraise** | |
| 125 ml | **fraises dégelées** ou **fraîches** | 1/2 tasse |
| 1 l | **garniture fouettée décongelée** | 4 tasses |
| 1 | **croûte de miettes de biscuits** | 1 |

1- Préparer la poudre pour gélatine selon la méthode de prise rapide sur l'emballage, en réduisant l'eau bouillante à 160 ml (2/3 tasse).

2- Ajouter les fraises.

3- Incorporer délicatement la garniture fouettée.

4- Réfrigérer jusqu'à léger épaississement, environ 10 minutes.

5- Déposer dans la croûte.

6- Réfrigérer 3 heures.

**Cette tarte est très rafraîchissante, parfaite après un grand repas. On peut la préparer jusqu'à un mois à l'avance et la congeler, si désiré.**

# Carrés chiffon aux fraises

## 8 portions

| | | |
|---|---|---|
| 375 ml | chapelure de biscuits Graham | 1 1/2 tasse |
| 75 ml | beurre | 1/3 tasse |
| 1 | paquet de 3 oz de gélatine aux fraises | 1 |
| 185 ml | eau bouillante | 3/4 tasse |
| 1 | boîte de lait Eagle Brand | 1 |
| 75 ml | jus de citron | 1/3 tasse |
| 1 | contenant de 15 oz | 1 |
| | de fraises surgelées décongelées | |
| 750 ml | pâte de guimauves miniatures | 3 tasses |
| 300 ml | crème fouettée 35 % | 1 1/4 tasse |

1- Mélanger la chapelure et le beurre fondu et presser dans un moule de 8 x 23 cm (3 x 9 pouces).
2- On peut passer au four de 5 à 10 minutes.
3- Dans un grand bol, faire dissoudre la gélatine dans l'eau bouillante.
4- Ajouter le lait, le jus de citron, les fraises et la pâte de guimauves.
5- Incorporer délicatement la crème fouettée.
6- Verser sur la croûte.
7- Réfrigérer environ 2 heures.
8- Couper en carrés.

La
Fraise

# Confiture de petits fruits à congeler

### 5 bocaux

| 750 ml | **fraises écrasées** | 3 tasses |
| 250 ml | **framboises écrasées** | 1 tasse |
| 375 ml | **sucre granulé** | 1 1/2 tasse |
| 1 | **paquet (45 g) de pectine** | 1 |
| | **pour confiture à congeler BERNARDIN** | |

1- Laver 5 bocaux Mason de 250 ml et des couvercles de rangement BERNARDIN ou des couvercles SNAP en 2 morceaux.

2- Écraser les fruits.

3- Verser les fraises et les framboises dans un bol.

4- Incorporer le sucre.

5- Laisser reposer 15 minutes.

6- Tout en mélangeant, ajouter graduellement aux fruits le paquet de pectine pour confiture à congeler BERNARDIN.

7- Mélanger 3 autres minutes.

8- Laisser reposer 5 minutes.

9- Verser dans les bocaux en laissant un espace de tête de 1 cm (1/2 pouce).

10- Fermer avec les couvercles.

11- Mettre au congélateur jusqu'à 1 an au maximum, ou réfrigérer jusqu'à 3 semaines.

# Crêpes aux fruits

## 10 portions

### Crêpes :

| 250 ml | **farine** | 1 tasse |
| 250 ml | **lait** | 1 tasse |
| 15 ml | **beurre fondu** | 1 c. à table |
| 2 | **œufs** | 2 |
| 1 pincée | **sel** | 1 pincée |
| 2,5 ml | **sucre** | 1/2 c. à thé |

### Garniture :

**petits fruits (fraises, framboises, bleuets, etc.)
crème anglaise
sirop d'érable**

1- Mettre dans un bol la farine, le lait, le beurre fondu, les œufs, le sel
   et le sucre.
2- Battre jusqu'à ce que vous obteniez un mélange homogène.
3- Faire fondre un peu de beurre dans une poêle et y verser du
   mélange (selon la grosseur de la crêpe) tout en faisant cuire à feu
   moyen.
4- Lorsque la crêpe est cuite, la retirer du feu.
5- Mettre la crêpe dans une assiette.
6- Préparer les fruits (les éplucher, les couper, etc.).
7- Mettre les fruits sur la crêpe de façon à obtenir une ligne assez
   large et à ne pas recouvrir entièrement la crêpe.
8- Rouler la crêpe avec les fruits.
9- Verser un peu de crème anglaise et de sirop d'érable sur la crêpe.

La Fraise

# Croustade aux pommes et aux fraises

### 8 portions

| | | |
|---|---|---|
| 1 l | **pommes en dés** | 4 tasses |
| 250 ml | **fraises** | 1 tasse |
| 160 ml | **sucre** | 2/3 tasse |
| 75 ml | **beurre ramolli** | 1/3 tasse |
| 250 ml | **cassonade** | 1 tasse |
| 75 ml | **farine tout usage** | 1/3 tasse |
| 160 ml | **flocons d'avoine** | 2/3 tasse |
| | **à cuisson rapide (gruau)** | |
| | **cannelle au goût** | |

1- Peler, épépiner et couper les pommes en tranches minces.
2- Laver, égoutter et équeuter les fraises.
3- Couper en tranches.
4- Étaler dans un plat carré, bien beurré et allant au four.
5- Ajouter la moitié du sucre (75 ml ou 1/3 tasse) aux fruits.
6- Défaire le beurre en crème.
7- Ajouter la cassonade, la farine, les flocons d'avoine, le reste du sucre et la cannelle.
8- Étendre la préparation sur les fruits.
9- Cuire au four à 180 ˚C (350 ˚F) pendant 40 minutes.

**4 tasses de pommes correspondent à environ 4 pommes.**

**On peut utiliser du beurre ou de la margarine, c'est au goût.**

**On peut substituer les fraises par des bleuets ou tout autre fruit des champs.**

# Croustade à l'érable, aux pommes, aux poires et aux fraises

6 portions

| | | |
|---|---|---|
| 3 ou 4 | **pommes (selon la grosseur)** | 3 ou 4 |
| 3 ou 4 | **poires (selon la grosseur)** | 3 ou 4 |
| 1 | **casseau de fraises entières** | 1 |
| 185 ml | **sirop d'érable** | 3/4 tasse |
| 125 ml | **farine** | 1/2 tasse |
| 125 ml | **farine d'avoine** | 1/2 tasse |
| 125 ml | **cassonade** | 1/2 tasse |
| 125 ml | **noix de Grenoble hachées** ou **autres** | 1/2 tasse |
| 5 ml | **cannelle** | 1 c. à thé |
| 1 | **pincée de sel** | 1 |
| 125 ml | **beurre doux** | 1/2 tasse |

1- Peler les pommes et les poires, les émincer et les placer dans un plat carré allant au four de 20 cm (8 pouces).
2- Ajouter les fraises.
3- Verser le sirop d'érable sur les fruits.
4- Bien mélanger à l'aide d'une cuillère.
5- Sabler les ingrédients secs avec le beurre, jusqu'à l'obtention d'un mélange granuleux.
6- Poudrer les fruits de ce mélange et ajouter quelques noix de beurre.
7- Bien étaler.
8- Mettre au four à 180 ˚C (350 ˚F) pendant 30 à 40 minutes.
9- Servir avec de la crème glacée à la vanille ou de la crème anglaise.

La
Fraise

# Gâteau aux carottes et aux fraises

## 10 portions

| | | |
|---|---|---|
| 625 ml | **farine** | 2 1/2 tasses |
| 250 ml | **carottes râpées** | 1 tasse |
| 125 ml | **huile végétale** | 1/2 tasse |
| 125 ml | **pacanes** | 1/2 tasse |
| 5 ml | **cannelle moulue** | 1 c. à thé |
| 2,5 ml | **bicarbonate de soude** | 1/2 c. à thé |
| 2 | **œufs** | 2 |
| 300 ml | **cassonade** | 1 1/4 tasse |
| 125 ml | **yogourt léger nature** | 1/2 tasse |
| 75 ml | **eau** | 1/3 tasse |
| 10 ml | **poudre à pâte** | 2 c. à thé |
| 5 ml | **muscade** | 1 c. à thé |
| 2,5 ml | **sel** | 1/2 c. à thé |
| 250 ml | **fraises hachées finement** | 1 tasse |

### Glaçage :

| | | |
|---|---|---|
| 60 ml | **fromage à la crème ramolli** | 1/4 tasse |
| 15 ml | **fraises écrasées** | 1 c. à table |

1- Préchauffer le four à 180 ˚C (350 ˚F).
2- Graisser et enfariner un moule Bundt ou un moule à cheminée d'une capacité de 3 litres (12 tasses).

### Gâteau :

1- Dans un grand bol, battre au mélangeur tous les ingrédients ensemble (sauf les fraises), à petite vitesse, pendant 45 secondes.
2- Ajouter les fraises et mêler à la main, délicatement.
3- Verser dans le moule et cuire 45 à 55 minutes à 180 ˚C (350 ˚F).

La Fraise

4- Laisser refroidir 5 minutes avant de démouler et refroidir complètement.

### Glaçage :

1- Battre ensemble le fromage à la crème ramolli et les fraises.
2- Laisser tomber le glaçage sur le gâteau, à la cuillère.

# Gâteau renversé aux petits fruits des champs

### 8 portions

## Partie 1 :

| | | |
|---|---|---|
| 1 l et 375 ml | **petits fruits des champs (fraises coupées en deux, framboises, bleuets)** | 5 1/2 tasses |
| 30 ml | **fécule de maïs** | 2 c. à table |
| 185 ml | **sucre** | 3/4 tasse |

## Partie 2 :

| | | |
|---|---|---|
| 375 ml | **farine** | 1 1/2 tasse |
| 75 ml | **sucre** | 1/3 tasse |
| 30 ml | **poudre à pâte** | 2 c. à table |
| 1 pincée | **sel** | 1 pincée |
| 250 ml | **crème 5 % ou 10 %** | 1 tasse |
| 75 ml | **beurre fondu** | 1/3 tasse |
| 1 pincée | **muscade** | 1 pincée |
| 1 pincée | **cannelle** | 1 pincée |
| | **beurre pour le moule** | |

1- Préchauffer le four à 180 °C (350 °F).
2- Beurrer un moule carré de 20 cm (8 pouces) allant au four.
3- Dans un bol, mélanger ensemble les ingrédients de la partie 1 (fruits, fécule de maïs et sucre).
4- Déposer dans le moule allant au four.
5- Dans un bol, mélanger ensemble les ingrédients de la partie 2 (farine, sucre, poudre à pâte et sel).
6- Incorporer la crème et le beurre fondu. Bien mélanger.
7- Répartir la pâte uniformément sur les fruits.
8- Saupoudrer de muscade et de cannelle.
9- Cuire au four pendant 35 minutes à 180 °C (350 °F).
10- Laisser refroidir 10 minutes et renverser sur une assiette de service.

La Fraise

# Mousse gourmet aux fraises

### 8 portions

### Mousse :

| | | |
|---|---|---|
| 2 | **sachets de gélatine** | 2 |
| 185 ml | **purée de fraises du commerce** | 3/4 tasse |
| 375 ml | **crème de fraises,** | 1 1/2 tasse |
| | **fouettée semi-ferme** | |
| 1 | **génoise** ou **mince gâteau blanc,** | 1 |
| | **de la grandeur d'un moule à charnière** | |
| | **sirop d'érable chaud (en quantité suffisante)** | |

### Nappage :

| | | |
|---|---|---|
| 125 ml | **coulis de fraises du commerce** | 1/2 tasse |
| 60 ml | **sucre** | 1/4 tasse |
| 1 | **sachet de gélatine** | 1 |
| | **gonflée dans l'eau froide et chaude** | |
| 30 ml | **eau froide** | 2 c. à table |
| 45 ml | **eau chaude** | 3 c. à table |

### Mousse :

1- Dans un petit bol, faire gonfler la gélatine dans de l'eau froide.

2- Dans un bain-marie, réchauffer la purée de fraises, retirer du feu et incorporer la gélatine; laisser tiédir, ajouter la crème de fraises fouettée et laisser prendre 5 à 10 minutes au réfrigérateur.

3- Garnir le fond d'un moule à charnière de génoise ou du gâteau et napper de sirop d'érable chaud.

4- Verser la préparation aux fraises sur le gâteau et déposer au congélateur de 2 à 3 heures.

## La Fraise

### Nappage :

1- Dans une casserole, porter à ébullition le coulis de fraises et le sucre.
2- Retirer du feu et ajouter la gélatine et l'eau.
3- Bien mélanger et laisser tiédir.
4- Verser sur la mousse aux fraises et réfrigérer.
5- Servir accompagné de crème de fraises.

# Muffins à la rhubarbe ou aux fraises

### 12 portions

| | | |
|---|---|---|
| 750 ml | **farine** | 3 tasses |
| 15 ml | **poudre à pâte** | 1 c. à table |
| 1 pincée | **sel** | 1 pincée |
| 125 ml | **sucre** | 1/2 tasse |
| 125 ml | **cassonade** | 1/2 tasse |
| 125 ml | **huile** | 1/2 tasse |
| 3 | **œufs** | 3 |
| 250 ml | **lait** | 1 tasse |
| 10 ml | **essence d'amande** | 2 c. à thé |
| 500 ml | **rhubarbe** ou **fraises en morceaux** | 2 tasses |

1- Dans un bol, tamiser la farine avec la poudre a pâte et le sel.

2- Incorporer le sucre et la cassonade.

3- Dans un autre bol, mélanger l'huile, les œufs, le lait et l'essence d'amande.

4- Ajouter aux ingrédients secs.

5- Incorporer la rhubarbe ou les fraises.

6- Verser dans 12 moules à muffins (cela devrait dépasser les bords des moules, car ce sont de très gros muffins).

7- Cuire au four préchauffé à 200 ˚C (400 ˚F) pendant 20 minutes.

**Délicieux muffins; le secret,
c'est l'ajout d'essence d'amande.**

# Muffins aux fruits

## 6 portions

| | | |
|---|---|---|
| 1 | **œuf battu** | 1 |
| 60 ml | **sucre** | 1/4 tasse |
| 125 ml | **margarine** ou **beurre mou** | 1/2 tasse |
| 375 ml | **farine** | 1 1/2 tasse |
| | ou | |
| 250 ml | **farine** | 1 tasse |
| | et | |
| 125 ml | **poudre de cacao** | 1/2 tasse |
| 12,5 ml | **poudre à pâte** | 2 1/2 c. à thé |
| 1 pincée | **sel** | 1 pincée |
| 125 ml | **lait** | 1/2 tasse |

## Garniture (au choix) :

| | | |
|---|---|---|
| 250 ml | **raisins secs** **ramollis dans l'eau bouillante** | 1 tasse |
| | ou | |
| 250 ml | **bleuets frais** ou **congelés** | 1 tasse |
| | ou | |
| 250 ml | **fraises en morceaux** **et pépites de chocolat** | 1 tasse |
| | ou | |
| 250 ml | **canneberges en morceaux** **(dans ce cas, remplacer le lait** **par du jus d'orange)** | 1 tasse |

1- Battre l'œuf avec le sucre.
2- Ajouter la margarine ou le beurre ramolli.
3- Mêler ensemble la farine ou la farine et le cacao, la poudre à pâte et le sel.
4- Mêler avec l'œuf en alternant avec le lait ou le jus. Ne pas trop mélanger.
5- Ajouter la garniture.
6- Cuire au four à 190 ˚C (375 ˚F) pendant 20 minutes.

**Ces muffins se congèlent très bien.**

# Muffins divins aux fruits

### 16 portions

| | | |
|---|---|---|
| 625 ml | farine tout usage, de blé entier | 2 1/2 tasses |
| 125 ml | sucre | 1/2 tasse |
| 10 ml | poudre à pâte | 2 c. à thé |
| 5 ml | bicarbonate de soude | 1 c. à thé |
| 2,5 ml | sel | 1/2 c. à thé |
| 75 ml | margarine de marque Becel | 1/3 tasse |
| 185 ml | compote de pommes non sucrée | 3/4 tasse |
| 75 ml | jus d'orange concentré non dilué | 1/3 tasse |
| 1 | banane mûre pilée | 1 |
| 2 | œufs battus | 2 |
| 375 ml | bleuets frais ou surgelés | 1 1/2 tasse |
| 300 ml | canneberges, fraîches ou surgelées | 1 1/4 tasse |
| 28 | abricots séchés, coupés en deux | 28 |
| 125 ml | pommes en cubes | 1/2 tasse |
| 125 ml | framboises fraîches ou surgelées au goût | 1/2 tasse |
| 125 ml | confiture de fraises (facultatif) | 1/2 tasse |

1- Chauffer le four à 200 °C (400 °F).

2- Placer graisser ou utiliser des moules en papier dans le moule à muffins.

3- Dans un grand bol, mélanger la farine, le sucre, la poudre à pâte, le bicarbonate de soude et le sel.

4- Ajouter la margarine froide.

5- À l'aide d'une cuillère en bois, défaire la margarine en petits cubes jusqu'à l'obtention d'un mélange granuleux, un peu comme une préparation de carrés aux dattes.

6- Dans un autre bol, mélanger la compote de pommes, le concentré de jus d'orange, la banane pilée et les œufs.

7- Incorporer légèrement au premier mélange sans trop brasser.

8- Incorporer délicatement les bleuets, les canneberges, les abricots séchés, les pommes et les framboises.

9- Avec une cuillère en bois, remplir chaque petit moule à moitié.

10- Ajouter ensuite une cuillère à thé de confiture de fraises et finir de remplir chaque petit moule avec un peu du mélange.

11- Cuire au centre du four jusqu'à ce que les muffins deviennent dorés et qu'un cure-dent inséré dans le milieu en ressorte sec.

12- Le temps de cuisson devrait varier entre 20 et 25 minutes selon la puissance de votre four.

13- Laisser refroidir sur une grille environ 10 minutes.

14- Démouler et placer sur la grille afin qu'ils finissent de refroidir.

**La margarine devrait être froide lors de son utilisation.**

**Si vous faites de petits muffins,
réduire légèrement le temps de cuisson.**

**Il y a beaucoup de fruits;
ceux-ci ne sembleront pas cuits, mais ils le sont!**

# Pouding aux fraises et à la rhubarbe

### 8 portions

### Gâteau :

| | | |
|---|---|---|
| 500 ml | **farine** | 2 tasses |
| 15 ml | **poudre à pâte** | 1 c. à table |
| 5 ml | **sel** | 1 c. à thé |
| 2 | **œufs** | 2 |
| 250 ml | **sucre** | 1 tasse |
| 60 ml | **huile** ou **beurre** | 1/4 tasse |
| 5 ml | **vanille** | 1 c. à thé |
| 250 ml | **lait** | 1 tasse |

### Sirop :

| | | |
|---|---|---|
| 300 ml | **sucre** | 1 1/4 tasse |
| 250 ml | **jus de fraises** | 1 tasse |
| 250 ml | **eau** | 1 tasse |
| 75 ml | **fécule de maïs** | 1/3 tasse |
| 500 ml | **fraises** | 2 tasses |
| 500 ml | **rhubarbe** | 2 tasses |
| 10 ml | **vanille** | 2 c. à thé |

### Gâteau :

1- Tamiser la farine, la poudre à pâte et le sel.
2- Mélanger ces trois ingrédients.
3- Dans un autre bol, battre les œufs, le sucre et l'huile ou beurre jusqu'à consistance onctueuse.
4- Dans un bol à part, ajouter la vanille au lait.
5- Ajouter la farine, en alternant avec le lait et le mélange aux œufs, et terminer par la farine.
6- Étendre le mélange sur le sirop.
7- Cuire au four à 180 ˚C (350 ˚F) pendant 30 à 35 minutes.

La
Fraise

**Sirop :**

1- Faire bouillir le sucre, le jus, l'eau et la fécule de maïs.
2- Brasser pour bien dissoudre le sucre. Retirer du feu.
3- Ajouter les fraises, la rhubarbe et la vanille. Bien mélanger et verser dans un plat allant au four.

# Pouding aux petits fruits à l'anglaise

### 6 à 8 portions

| 3 | **œufs** | 3 |
|---|---|---|
| 500 ml | **lait 2 %** | 2 tasses |
| 125 ml | **sucre** | 1/2 tasse |
| 5 ml | **essence de vanille** | 1 c. à thé |
| 3 | **muffins anglais coupés en cubes** | 3 |
| 375 ml | **petits fruits au goût** | 1 1/2 tasse |
| | **(fraises, framboises, bleuets, etc.)** | |

1- Préchauffer le four à 170 ˚C (325 ˚F).
2- Dans un grand bol, mélanger les œufs, le lait, le sucre et l'essence de vanille; réserver.
3- Verser les cubes de muffins dans un grand plat beurré allant au four, recouvrir de petits fruits et de mélange aux œufs.
4- Cuire au four 50 à 55 minutes.

La
Fraise

# Shortcake à la ribambelle de fruits

## 8 portions

### Gâteau :

| | | |
|---|---|---|
| 500 ml | **farine tout usage** | 2 tasses |
| 13 ml | **poudre à pâte** | 2 1/2 c. à thé |
| 5 ml | **sel** | 1 c. à thé |
| 60 ml | **sucre blanc** | 1/4 tasse |
| 75 ml | **beurre** | 1/3 tasse |
| 5 ml | **essence de vanille** | 1 c. à thé |
| 250 ml | **lait** | 1 tasse |
| 1 l | **petits fruits** | 4 tasses |
| | **(fraises, framboises, bleuets, mûres...)** | |
| | **sucre à glacer** | |

### Crème de citron :

| | | |
|---|---|---|
| 2 | **œufs à la température de la pièce** | 2 |
| 45 ml | **fécule de maïs** | 3 c. à table |
| 60 ml | **sucre blanc** | 1/4 tasse |
| 500 ml | **lait** | 2 tasses |
| 60 ml | **jus de citron** | 1/4 tasse |
| 10 ml | **zeste de citron** | 2 c. à thé |

### Gâteau :

1- Chauffer le four à 190 ˚C (375 ˚F).
2- Beurrer une plaque à biscuits.
3- Mélanger la farine, la poudre à pâte, le sel et le sucre.
4- Ajouter le beurre et le couper avec 2 couteaux jusqu'à l'obtention d'une texture granuleuse.
5- Ajouter l'essence de vanille au lait.
6- Verser une petite quantité à la fois dans le mélange à base de farine jusqu'à la formation d'une pâte humide.

7- Rouler la pâte à 2,5 cm (1 pouce) d'épaisseur sur une surface légèrement enfarinée.

8- Former 8 biscuits en coupant la pâte avec un emporte-pièce de 6 cm (2 1/2 pouces) de diamètre.

9- Placer sur la plaque à biscuits et cuire 20 à 25 minutes ou jusqu'à ce que la surface soit dorée.

10- Laisser refroidir à la température de la pièce.

11- Séparer en deux, garnir de crème de citron et de petits fruits.

12- Saupoudrer de sucre à glacer.

### Crème de citron :

1- Battre les œufs, la fécule de maïs, le sucre et le lait.

2- Cuire au bain-marie, en brassant constamment jusqu'à ce que le mélange épaississe, environ 8 minutes.

3- Retirer du feu et ajouter le jus et le zeste de citron.

4- Bien mélanger et refroidir.

La
Fraise

# Shortcake aux fraises (ou autres fruits)

*8 portions*

| | | |
|---|---|---|
| 560 ml | **farine** | 2 1/4 tasse |
| 20 ml | **poudre à pâte** | 4 c. à thé |
| 2,5 ml | **sel** | 1/2 c. à thé |
| 75 ml | **graisse** | 1/3 tasse |
| 1 | **œuf** | |
| 30 ml | **sucre** | 2 c. à table |
| 160 ml | **lait** | 2/3 tasse |
| | **fraises ou autres fruits** | |
| | **crème fouettée** | |

1- Tamiser ensemble les ingrédients secs et couper avec la graisse.
2- Battre l'œuf avec le sucre et le lait.
3- Ajouter à la farine, brasser juste pour mélanger.
4- Mettre dans un moule rond beurré ou dans des moules individuels.
5- Cuire 12 à 15 minutes au four à 230 ˚C (450 ˚F).
6- Couper en deux, décorer de fruits et de crème fouettée.

# Smoothie aux fraises et bananes

## 2 portions

| | | |
|---|---|---|
| 250 ml | **fraises fraîches** ou **surgelées** | 1 tasse |
| 250 ml | **bananes** | 1 tasse |
| 250 ml | **jus d'orange** | 1 tasse |
| 250 ml | **yogourt** | 1 tasse |
| 5 ml | **miel** | 1 c. à thé |
| 3 | **glaçons** | 3 |

1- Laver les fraises et les couper en morceaux.
2- Mettre tous les ingrédients dans un mélangeur.
3- Bien réduire le tout en purée liquide.
4- Servir frais dans un grand verre!

# Suprême de poulet
# à la ciboulette et aux fraises

### 4 portions

| | | |
|---|---|---|
| 2 | **demi-poitrines de** | 2 |
| | **poulet désossées et sans la peau** | |
| 15 ml | **huile végétale** | 1 c. à table |
| | **sel et poivre** | |
| 3 | **jaunes d'œufs** | 3 |
| 15 ml | **moutarde de Dijon** | 1 c. à table |
| 10 ml | **jus de citron** | 2 c. à thé |
| 75 ml | **huile végétale** | 1/3 tasse |
| 60 ml | **ciboulette fraîche hachée** | 1/4 tasse |
| | **sel de céleri au goût** | |
| 60 ml | **oignon haché** | 1/4 tasse |
| 10 ml | **baies roses (poivre rose) écrasées** | 2 c. à thé |
| 1 | **laitue romaine lavée et essorée** | |
| 250 ml | **haricots verts cuits et refroidis** | 1 tasse |
| 250 ml | **fraises tranchées** | 1 tasse |
| | **ciboulette fraîche pour décorer** | |

1- Couper le poulet en petits cubes.
2- Dans une poêle antiadhésive, dorer le poulet dans l'huile à feu vif jusqu'à cuisson complète.
3- Saler et poivrer.
4- Réfrigérer.
5- Dans un bol, fouetter les jaunes d'œufs, la moutarde et le jus de citron jusqu'à ce que le mélange commence à blanchir.
6- Ajouter l'huile en un mince filet tout en fouettant jusqu'à ce que ce soit onctueux.
7- Ajouter la ciboulette, le sel de céleri, l'oignon, les baies roses et le poulet refroidi.

La
Fraise

## Décoration :

1- Déposer les feuilles de laitue dans un bol de présentation.
2- Déposer la préparation au poulet sur les feuilles de laitue.
3- Répartir les haricots et les fraises, et décorer de ciboulette.

La Fraise

# Tarte aux fraises

## 6 portions

| | | |
|---|---|---|
| 185 ml | **sucre** | 3/4 tasse |
| 300 ml | **eau bouillante** | 1 1/4 tasse |
| 1 | **petit paquet de gélatine de fraises** | 1 |
| 45 ml | **fécule de maïs** | 3 c. à table |
| 1 | **paquet de 300 g (10 oz) de fraises fraîches** | 1 |
| | ou | |
| | **congelées entières** | |
| 1 | **croûte de tarte cuite** | 1 |

1- Dans une casserole, mélanger le sucre avec l'eau et amener à ébullition.

2- Ajouter le paquet de gélatine et bouillir 5 minutes.

3- Délayer la fécule de maïs avec un peu d'eau froide jusqu'à une consistance homogène pour éviter les grumeaux et ajouter au mélange en brassant.

4- Mijoter 2 minutes en brassant constamment.

5- Ajouter les fraises congelées et mélanger délicatement.

6- Verser dans la croûte et réfrigérer.

7- Servir avec de la crème fouettée.

**Si les fraises sont fraîches, on doit alors les placer
dans la croûte de tarte cuite et verser le liquide tiédi dessus;
on ne doit pas les ajouter au mélange chaud.**

# Tarte au yogourt et aux fraises

8 portions · 199 calories par portion

## Croûte :

| | | |
|---|---|---|
| 45 ml | **beurre** ou **margarine** | 3 c. à table |
| 45 ml | **sirop de maïs** | 3 c. à table |
| 45 ml | **cassonade bien tassée** | 3 c. à table |
| 625 ml | **flocons de son** | 2 1/2 tasses |

## Garniture :

| | | |
|---|---|---|
| 1 | **paquet de 85 g (3 oz) de gélatine de fraises** | 1 |
| 250 ml | **eau bouillante** | 1 tasse |
| 300 ml | **fraises** ou **framboises fraîches** | 1 1/4 tasse |
| | ou | |
| 1 | **paquet de 300 g (10 oz) de fraises non sucrées, légèrement décongelées** | 1 |
| 250 ml | **yogourt nature à faible teneur en gras** | 1 tasse |

## Croûte :

1- Dans une casserole, faire fondre le beurre avec le sirop de maïs et la cassonade à feu moyen-vif.
2- Porter à ébullition en remuant constamment.
3- Retirer du feu.
4- Ajouter les flocons de son et remuer pour bien les enrober.
5- Graisser légèrement une assiette à tarte de 23 cm (9 pouces) de diamètre.
6- Y étendre le mélange de flocons de son en pressant.
7- Mettre au congélateur.

### La Fraise

## Garniture :

1- Dissoudre la gélatine dans l'eau bouillante.
2- Couper les fraises (ou les framboises) en petits morceaux et les ajouter à la gélatine dissoute.
3- Refroidir jusqu'à ce que le mélange ait la consistance d'un blanc d'œuf.
4- Ajouter le yogourt en battant.
5- Refroidir jusqu'à ce que le mélange épaississe sans qu'il soit pris.
6- Verser la garniture dans la croûte à tarte refroidie.
7- Réfrigérer pendant 2 heures.
8- Servir.

# Tartelette aux fruits

### 24 portions

| | | |
|---|---|---|
| 24 | **tartelettes achetées congelées** | 24 |
| 1 | **paquet (99 g) de pouding instantané à la vanille** | 1 |
| 250 ml | **lait** | 1 tasse |
| 250 ml | **crème 35 %** | 1 tasse |
| | **essence d'amande (facultatif)** | |
| 5 | **kiwis pelés et tranchés mince** | |
| 750 ml | **fraises fraîches tranchées** | 3 tasses |
| 250 ml | **framboises** | 1 tasse |
| 250 ml | **raisins rouges sans pépins** | 1 tasse |

1- Cuire les tartelettes suivant le mode d'emploi sur la boîte, laisser refroidir.

2- Préparer le pouding instantané tel qu'indiqué sur la boîte, mais en utilisant seulement 250 ml (1 tasse) de lait.

3- Fouetter la crème jusqu'à ce qu'elle forme des pics et l'incorporer délicatement dans le pouding.

4- Ajouter de l'essence d'amande (facultatif).

5- Garnir chaque tartelette de ce mélange.

6- Décorer avec les fruits.

7- Vous pouvez prendre les fruits que vous aimez et rajouter si vous voulez de la gelée d'abricot et en badigeonner les fruits avec un pinceau (si vous aimez les abricots!).

# Terrine décadente aux deux chocolats et aux fraises

### 8 à 10 portions

| 1 boîte | fraises surgelées (décongelées et égouttées) | 1 boîte |
|---|---|---|

### Mousse au chocolat blanc :

| 60 ml | eau | 1/4 tasse |
|---|---|---|
| 15 ml | sirop de maïs | 1 c. à table |
| 7 ml | gélatine neutre sans saveur gonflée dans l'eau | 1 1/2 c. à thé |
| 30 ml | eau froide | 2 c. à table |
| 256 g | chocolat blanc, râpé | 9 oz (9 carrés) |
| 2 | jaunes d'œufs | 2 |
| 160 ml | crème champêtre 35 % | 2/3 tasse |
| 160 ml | crème sure | 2/3 tasse |

### Mousse au chocolat noir :

| 175 g | chocolat noir mi-sucré | 6 oz (6 carrés) |
|---|---|---|
| 60 ml | espresso ou café fort | 1/4 tasse |
| 10 ml | gélatine sans saveur | 2 c. à thé |
| 15 ml | eau | 3 c. à thé |
| 125 ml | beurre froid en cubes | 1/2 tasse |
| 2 | jaunes d'œufs | 2 |
| 300 ml | crème à fouetter 35 %, fouettée | 1 1/4 tasse |

1- Tapisser d'une pellicule de plastique un moule à pain de 13 x 23 cm (5 x 9 pouces) en laissant dépasser la pellicule de chaque côté du moule.

La
Fraise

## Mousse au chocolat blanc :

1- Dans une casserole, mélanger l'eau et le sirop de maïs; porter à ébullition.
2- Retirer du feu et incorporer la gélatine gonflée en remuant jusqu'à ce qu'elle soit dissoute.
3- Ajouter le chocolat blanc et remuer jusqu'à ce qu'il soit fondu.
4- Ajouter les jaunes d'œufs, un à la fois, en battant.
5- Dans un bol, fouetter légèrement la crème 35 % et la crème sure.
6- Incorporer à la préparation au chocolat.
7- Verser dans le moule et réfrigérer jusqu'à ce que ce soit pris.
8- Déposer uniformément les fraises sur la mousse au chocolat blanc.

## Mousse au chocolat noir :

1- Au bain-marie ou au micro-ondes, faire fondre le chocolat noir avec le café.
2- Saupoudrer la gélatine sur l'eau, laisser gonfler 1 minute et dissoudre complètement quelques secondes au micro-ondes ou en remuant au-dessus d'un bol d'eau bouillante.
3- Ajouter la gélatine et le beurre à la préparation au chocolat noir; battre jusqu'à ce que ce soit lisse et laisser refroidir.
4- Ajouter les jaunes d'œufs, un à la fois, en battant et incorporer la crème fouettée, en pliant à la spatule.
5- Étendre sur les fraises et couvrir d'une pellicule de plastique.
6- Réfrigérer 4 heures ou jusqu'à ce que ce soit pris.

# Tourbillons de fraîcheur

### 4 à 6 portions

| | | |
|---|---|---|
| 375 ml | **crème à fouetter 35 %** | 1 1/2 tasse |
| 375 ml | **petits fruits mélangés** | 1 1/2 tasse |
| | **(fraises, framboises et bleuets)** | |
| 125 ml | **biscuits Oreo au chocolat, émiettés** | 1/2 tasse |

### Décoration :

**petits fruits**
**feuilles de menthe**
**biscuits**

1- Dans un bol, fouetter la crème jusqu'à ce qu'elle soit ferme.
2- Incorporer les petits fruits et les biscuits, mélanger doucement.
3- Verser dans de grandes coupes à dessert; décorer de petits fruits, de feuilles de menthe et de biscuits.

# Tourbillons printaniers

## 8 portions

### Sirop :

| 500 ml | **eau chaude** | 2 tasses |
| 250 ml | **sucre** | 1 tasse |

### Pâte :

| 685 ml | **farine** | 2 3/4 tasses |
| 22,5 ml | **poudre à pâte** | 4 1/2 c. à thé |
| 5 ml | **sel** | 1 c. à thé |
| 160 ml | **graisse** | 2/3 tasse |
| 250 ml | **lait** | 1 tasse |

### Préparation finale :

| 500 ml | **rhubarbe en morceaux de 0,5 cm (1/4 pouce)** | 2 tasses |
| 250 ml | **fraises en morceaux** | 1 tasse |
| 75 ml | **sucre** | 1/3 tasse |
| 2,5 ml | **cannelle** | 1/2 c. à thé |
| 15 ml | **beurre fondu** | 1 c. à table |

### Sirop :

1- Mettre le sirop dans un moule de 9 x 13 pouces (23 x 33 cm) dans le four.
2- Allumer le four à 230 ˚C (450 ˚F) et y laisser le sirop afin qu'il bouille, moment où il faut ajouter le reste.

### Pâte :

1- Mêler la farine, la poudre à pâte et le sel.
2- Ajouter la graisse et couper jusqu'à la grosseur d'un pois.
3- Faire un puits au centre, verser le lait et mêler le tout délicatement.
4- Laisser en attente.

## Préparation finale :

1- Étendre la pâte assez épaisse avec un rouleau à pâte, soit environ l'épaisseur de 3 pâtes à tarte conventionnelles.

2- Étendre les fruits, saupoudrer de sucre, de cannelle et ajouter le beurre fondu.

3- Rouler et couper en morceaux de 3 cm (1 1/2 pouce).

4- Mettre dans le plat qui contient le sirop et cuire 25 minutes à 175 ˚C (350 ˚F).

**Attention aux éclaboussures, le sirop est très chaud!**

La Fraise

# Tournedos de porc et salsa de fraises

### 4 portions

| | | |
|---|---|---|
| 250 ml | **fraises tranchées** | 1 tasse |
| 250 ml | **ananas frais, taillé en dés** | 1 tasse |
| 3 | **oignons verts, hachés fin** | 3 |
| 60 ml | **vinaigre balsamique** | 1/4 tasse |
| | **sel et poivre noir frais moulu** | |
| | **cassonade au goût** | |
| 4 | **tournedos de porc du Québec** | 4 |
| | **de 2,5 cm (1 pouce) d'épaisseur** | |

1- Mélanger les fraises, l'ananas, les oignons verts et le vinaigre balsamique.

2- Assaisonner au goût de sel, de poivre et de cassonade. Réserver.

3- Badigeonner les tournedos du reste de vinaigre balsamique.

4- Poivrer au goût.

5- Griller à chaleur moyenne sur le barbecue, sous le gril du four ou dans un poêlon-gril pendant 6 à 12 minutes.

6- À mi-cuisson, retourner à l'aide de pinces et badigeonner de nouveau de vinaigre.

7- Saler après cuisson.

8- Laisser reposer pendant 1 à 2 minutes.

**Servir les tournedos avec la salsa de fraises.**
**Accompagner de pommes de terre grelots**
**et de pois mange-tout à l'étuvée.**

# La Framboise

## Petite monographie

La framboise fait partie de la famille des *Rubus*, c'est-à-dire des ronces. Étymologiquement, le mot *rubus* fait référence à la couleur rouge (*ruber*). Par contre, le mot ronce viendrait soit de *rumicem*, (dard), ou de *runcatio* (qui a rapport aux buissons). Il faut bien préciser que la couleur rouge est loin d'être une règle générale chez les fruits de la ronce. Ceux-ci sont plus souvent noirs. Ce sont les mûres. Il y en a aussi des jaunes et des glauques. Mais, au cours de leur maturation, la plupart des fruits de la ronce passent par la couleur rouge.

La ronce est une plante vivace à souche ligneuse qui produit chaque année des pousses nouvelles appelées turions, comme les pointes comestibles des asperges. Elles comptent un si grand nombre d'espèces qu'on a renoncé à les compter et, comme la famille est en constante mutation, de nouvelles variétés apparaissent sans cesse. Leur point de départ semble être l'Himalaya, d'où elles se sont répandues à une époque très ancienne en Asie, en Europe et en Amérique. Les vestiges préhistoriques attestent de son existence à l'état sauvage depuis des temps très reculés.

Dans le cycle écologique, le règne des ronces sauvages est toujours provisoire, même éphémère. C'est une plante pionnière qui colonise spontanément les sols dénudés et leur assurent une protection efficace en attendant leur ensemencement par les espèces forestières. Cela explique qu'on les retrouve à la limite des champs cultivés, à l'orée des bois ou de chaque côté des fossés de drainage. Les espaces récemment déboisés ou défoliés ont aussi leur prédilection.

La framboise est le fruit d'une variété de ronce nommée *Rubus Idæus*, ainsi nommée en l'honneur du mont Ida en Crête, qui tient lui-même son nom d'une nymphe de la mythologie grecque, nourrice de Jupiter durant son enfance. Les premières framboises rouges cultivées en Europe ont été rapportées par les croisés qui les avaient précisément trouvées dans les environs du mont Ida. On a cru longtemps qu'elles avaient pris naissance à cet endroit, mais il s'agit tout au plus d'une légende.

Les framboisiers ont longtemps été considérés comme des plantes ornementales avant qu'on ne se décide à consommer leurs fruits, vers le milieu du XIXe siècle. On en extrayait aussi des parfums et ils étaient utilisés dans la fabrication de boissons ou de médicaments.

Depuis la souche ligneuse, le framboisier produit des pousses tendres, recouvertes d'épines ou d'aiguillons courts peu menaçants. Ces turions se lignifient à mesure que la saison avance. Au cours de leur deuxième année, les pieds produisent des rameaux florifères et se chargent de fleurs blanches. Le fruit du framboisier est un ensemble de drupéoles réunies autour d'une cavité centrale dans laquelle s'insère l'extrémité arrondie du pédoncule; chaque drupéole contient une graine appelée drupe. À la fin de leur seule année de production, les pousses meurent, cependant la souche produit sans arrêt des pousses de remplacement.

La framboise sauvage est petite. Son diamètre varie de 8 à 12 cm. Les framboises cultivées sont plus grosses environ du tiers et elles sont généralement moins sucrées. Largement améliorées par des siècles de sélection, elles réjouissent les gourmets les plus exigeants. Mais leur culture aussi bien que leur récolte exigent beaucoup de soins et de main-d'œuvre, car elles sont fragiles et délicates : c'est pourquoi la framboise reste un fruit relativement coûteux, dont il ne faut pas manquer la courte saison.

# Variétés courantes

Les framboises arrivent à maturité plus ou moins tôt en juillet selon les latitudes et leur exposition au soleil. Sur le marché, elles peuvent revêtir différentes couleurs : jaunes, rouges, pourpres, blanches ou noires; ces dernières ne sont pas forcément des mûres.

Qu'il s'agisse de framboises cultivées ou sauvages, les variétés courantes sont plus ou moins productives, hâtives ou tardives, et leur couleur varie du rouge pâle au rouge foncé. Elles peuvent être plus ou moins grosses, charnues ou fermes. Certaines variétés se prêtent davantage à la dégustation, alors que d'autres conviennent mieux à la congélation ou à la transformation. Le taux d'acidité varie également en fonction de la variété.

# Informations nutritionnelles

### Composition moyenne de la framboise pour 100 g :

85 % d'eau, 8 g de glucides, 0 g de protides, 0 g de lipides, 135 kJ en énergie.

### Nutrition

Petit fruit délicat et parfumé, la framboise nous séduit par ses grandes qualités gustatives, mais aussi par ses atouts nutritionnels réels : une grande « discrétion » énergétique – 38 calories aux 100 g – en fait un des fruits vedettes des menus minceur des beaux jours; elle offre une haute densité minérale, en particulier en magnésium, calcium et fer, et une bonne teneur en vitamine C.

Ses fibres sont abondantes – près de 7 g aux 100 g – et efficaces pour lutter contre une tendance à la constipation. Mais, en cas de fragilité intestinale, il est préférable de consommer la framboise sous forme de coulis tamisé, ce qui permet d'éliminer les grains indésirables. Les drupes sont d'ailleurs assez grosses pour rendre la mastication inconfortable. Elles prennent un malin plaisir à se loger entre les dents.

La framboise contient des traces de vitamine A. Elle présenterait aussi de nombreux avantages pour la santé en raison de ses effets diurétiques, toniques, dépuratifs, apéritifs, sudorifiques et laxatifs. Les feuilles de framboisier peuvent être infusées. Leur décoction présente également, selon la croyance, une foule de bienfaits pour l'organisme.

Au Lac-Saint-Jean, on appelle *quioques* les jeunes pousses de framboisiers. Ces turions sont tendres et leur lignification ne se produira que graduellement au cours de l'été, à partir de la base. Ils sont comestibles, juteux, très légèrement croquants et sucrés, sans amertume aucune. Bien entendu, c'est pendant qu'ils sont à ce stade de leur croissance qu'il faut les manger. On enlève les ramifications et une mince pelure pour découvrir une douceur unique. Les turions qui poussent à l'ombre sont particulièrement charnus.

## Culture et soins
### (framboises cultivées)

Si les framboisiers peuvent croître et se développer à l'ombre, c'est en plein soleil qu'ils sont les plus productifs. Ils aiment les sols riches en matière organique, bien drainés. Les variétés de framboises croisent facilement entre elles et les plants cultivés acceptent tout aussi bien le pollen produit par leurs cousins sauvages; le résultat en est des fruits plus petits, en plus des dérapages génétiques qui s'ensuivent. C'est pourquoi il faut enlever les framboisiers sauvages et les ronces dans un rayon de 150 mètres autour du site de la culture. Un terrain où d'autres légumes ont précédé les framboisiers peut communiquer des maladies aux plants.

On recommande de faire précéder les framboisiers d'un couvre-sol. La plantation automnale est préférable, mais elle peut se faire tôt au printemps. Les framboisiers sont disposés en rangs distants d'au moins deux mètres, pour faciliter la circulation, la cueillette et l'aération.

## Fertilisation

Au moment de la plantation, un transplanteur soluble est recommandé, de même qu'un engrais équilibré pour fruits et légumes. Il faut se rappeler que les framboisiers nouvellement plantés ne produiront pas de fruits la première année, mais qu'il faut préparer la production de l'année suivante en favorisant le développement de turions.

Par la suite, une application biannuelle d'engrais pour fruits et légumes est souhaitable. L'essentiel est de maintenir la teneur du sol en matière organique. Pour une agriculture biologique, les fumiers et composts donnent d'excellents résultats, à condition d'être convenablement dégradés et de ne pas apporter de maladies.

## Dispositions à prendre avant l'hiver

Les framboisiers risquent d'être écrasés par le poids de la neige au cours de l'hiver. Pour augmenter leur résistance, on les attache par la tête à l'automne en paquets de quatre ou cinq pousses disposées en cône. Auparavant, il faut couper à la base toutes les tiges qui ont produit au cours de l'année et ne conserver que les nouvelles. Si le nombre de nouvelles pousses est exagéré, on en enlève quelques-uns de manière à favoriser une bonne vitalité chez celles qui restent. Dès que le sol a commencé à geler, il est bon d'étendre un paillis autour des plants. Cette mesure assure l'apport de matière organique nouvelle par décomposition, facilite la circulation entre les rangs et exerce un certain contrôle sur les mauvaises herbes.

## Pollinisation

S'il est un arbre fruitier qui ne rencontre pas de difficultés à ce chapitre, c'est bien le framboisier. Les abeilles le fréquentent assidûment pendant toute la durée de la floraison et même après, alors que la fructification est en cours. Les fleurs de framboise produisent beaucoup de nectar et, spontanément, les colonies d'abeilles s'installent à proximité pour profiter de la manne au maximum. Elles n'hésitent pas non plus à prélever dans les drupéoles le sucre accumulé.

Cette particularité est très avantageuse pour la production de beaux et gros fruits, mais elle comporte ses inconvénients. Les sites de culture des framboisiers, aussi bien que les étendues de framboisiers sauvages, fourmillent littéralement de guêpes et d'abeilles, et il n'est pas rare qu'en voulant cueillir un fruit on mette le doigt sur une représentante de ces insectes. La réprimande est immédiate, et plutôt cuisante.

## Informations générales

C'est à la deuxième année de la plantation que la production est la plus abondante. Par la suite elle décroît, sans jamais s'arrêter complètement, cependant, à condition qu'un entretien normal soit effectué. La culture commerciale de la framboise préconise une rotation sur un maximum de quatre ou cinq ans, idéalement sur deux ans. Si vous cultivez les framboisiers pour votre plaisir, peut-être ne serez-vous pas aussi exigeant.

Sachez toutefois qu'à la longue les plants sont contaminés par les maladies et les virus, et aussi par les pollens de framboise sauvage. Il est préférable de changer périodiquement d'endroit. De plus, on ne doit pas composter les anciens plants, mais les jeter ou les brûler. Et surtout, bien entendu, il faut planter de nouvelles souches. Recycler les anciennes ne servirait à rien.

# Soin des arbres
# et arbustes fruitiers

L es informations groupées sous cette rubrique valent autant pour les fraisiers que pour les framboisiers. La culture d'autres arbres ou arbustes fruitiers peut également s'en inspirer.

### Le choix des engrais

Il existe deux types différents d'engrais : les engrais minéraux et les engrais organiques.

Les engrais minéraux sont sans doute les plus diversifiés. Ils sont le fruit de synthèses à la fois de composés chimiques et de minéraux tirés du sol. Leur composition est identifiée par trois chiffres séparés par des tirets (ex. : *15–15–30*) qui constituent une information, exprimée en pourcentage, sur les trois constituants principaux de tout engrais : les composés d'azote, les acides phosphoriques et les sels solubles de potassium. Les engrais minéraux contiennent en plus d'autres éléments nutritifs en petite quantité, dont l'énumération se retrouve sur une étiquette ou sur l'emballage. La variété des engrais minéraux est telle qu'on ne saurait les décrire tous ici, ni non plus en préciser les propriétés. À ce sujet, l'étiquette donne des indications très utiles. L'intérêt que présente ce type d'engrais est considérable. Comme ils sont concentrés, leur manipulation est plus simple. Ils agissent rapidement et à basse température.

Plusieurs engrais minéraux sont disponibles en version soluble. Sous cette forme, ils sont directement assimilables par les plantes et ils ont un effet immédiat, permettant de corriger rapidement une carence.

Les engrais organiques désignent les fumiers, composts, humus et terres fertiles, ou encore des mélanges de ces divers matériaux. Lorsqu'on les achète sur le marché, l'emballage identifie généralement la provenance de leurs éléments. Le pourcentage de matière organique qu'ils contiennent est particulièrement important; aucun rapport qualité/prix entre plusieurs engrais ne peut être établi sérieusement sans prendre en considération cette caractéristique, qui nous renseigne en outre sur la quantité d'engrais nécessaire. Les engrais organiques aident à ameublir le sol, en plus de fournir aux plantes les éléments nutritifs. Ils sont biologiques, sauf indication contraire.

## La taille ou l'émondage

L'émondage est profitable à tous les arbres et arbustes fruitiers sans exception. Il permet de maintenir la plante en bonne santé, de la débarrasser de ses rameaux inutiles, endommagés ou malades, et de canaliser son énergie en fonction de la fructification. Une plante qui produit trop de branches ou de feuillage disperse ses forces. Par contre, un arbre que l'on contraint dans un volume plus faible donnera davantage de fruits et luttera plus efficacement contre les maladies et les insectes.

L'émondage est fait au printemps très tôt ou au début de l'automne, une fois que le fruit est passé. Il consiste à couper une partie de la repousse de l'année pouvant aller de un à deux tiers. Les repousses sont les prochains rameaux florifères et on a intérêt à exercer un certain contrôle sur le nombre de fleurs. Une plante trop chargée au printemps, pour ne pas s'épuiser, pourrait bien laisser couler la plus grande partie de sa floraison. On peut aussi éclaircir les branches, au besoin. Le bois mort doit être enlevé le plus tôt possible, peu importe la saison.

Dans le cas du framboisier, il est bon de couper la tête des nouvelles pousses de l'année de manière à en réduire la taille de 15 à 20 cm. Cette intervention stimule la formation de rameaux fructifères.

## La répression des ennemis

Ce sont surtout les rongeurs qui, dans le nord du Québec, peuvent affecter les plantations d'arbres et d'arbustes fruitiers. Les lièvres mangent les jeunes pousses et ils s'attaquent souvent en hiver aux branches plus consistantes. Les marmottes dévorent les feuilles de toutes sortes et notre acharnement à réprimer les pissenlits dont elles raffolent les rend encore plus dévastatrices pour les potagers et les petits arbustes. Les marmottes ont un appétit étonnant et vous serez renversé de constater tout ce qu'une seule bête peut raser en peu de temps. Une clôture, bien enfouie dans le sol et surmontée de barbelés, est ce qu'il y a de plus efficace contre ce fléau. Le bruit les éloigne également. Quant aux souris et aux rats qui peuvent endommager les racines, les trappes permettent d'en contrôler la population de façon écologique.

Beaucoup d'animaux, en dépit de leur mauvaise réputation, sont bénéfiques pour les plantes. Les moufettes sentent mauvais; c'est là leur seul défaut, puisqu'elles mangent quantité de larves présentes dans le sol. Les couleuvres donnent le frisson, sans doute depuis la tentation dont fut l'objet notre mère Ève. Ce sont pourtant des carnivores qui ne mangent que les ennemis, vers, insectes et petits rongeurs. Il en est de même des crapauds et grenouilles : si vous en voyez, surmontez votre répugnance en vous disant que ce sont des princes charmants qu'aucune princesse n'a encore daigné embrasser.

Lorsque les fruits sont bien mûrs, les oiseaux peuvent y faire des ravages considérables. Les vignes, notamment, les cerisiers et les framboisiers sont pour eux irrésistibles. Et lorsqu'une volée d'oiseaux est passée par votre culture, les fruits qui n'ont pas été mangés se retrouvent par terre, irrécupérables. Les filets sont la protection la plus efficace et la plus courante. Tout leurre destiné à éloigner les oiseaux ne les empêchera pas de se charger inopportunément de la récolte. En dehors de la saison des fruits, les oiseaux sont plutôt bénéfiques pour les plantes.

Le contrôle des insectes est certainement le principal défi des producteurs. Il exige une vigilance de tous les instants et des interventions ciblées en fonction de la nature des infestations. Il existe des moyens mécaniques ou écologiques pour réprimer les insectes. Garder propre le site de culture est prioritaire; les accumulations de matière organique sont des lieux de reproduction sournois. Certains pièges fonctionnent, mais on n'en connaît guère qui suffisent à éradiquer le mal. Les huiles de dormance sont l'une des armes les plus efficaces, alors que l'eau savonneuse est utilisée comme répulsif depuis des temps très anciens. Enfin, on trouve sur le marché divers insecticides biologiques, souvent des micro-organismes qui provoquent des maladies chez les insectes.

Lorsque tous les moyens sont épuisés, il faut bien quelquefois avoir recours aux insecticides chimiques. On choisira des produits dont les effets sont à court terme et qui se dégradent rapidement. Ne pas contaminer le fruit, surtout, ni l'environnement de culture, c'est là une règle absolue.

# Conservation

Les framboises sont consommées fraîches ou transformées (confiture, gelée, sirop, liqueur, etc.) et se conservent jusqu'à deux jours au frigo, à une température de 4 °C ou moins.

### Achat

Parmi les petits fruits abordés dans ce livre, les framboises sont certainement les plus fragiles et les plus périssables. On doit commencer à les entourer de soins dès le moment où on les cueille. Un entassement trop considérable, la chaleur du soleil, les chocs du transport, tout leur est préjudiciable. Dès qu'un fruit est moisi, la contamination se répand à la vitesse de l'éclair. Aussi est-il préférable de les cueillir soi-même, de préférence le matin, et de contrôler rigoureusement leur manipulation. Bien fraîches, elles sont fermes et éclatantes, mais elles se ternissent rapidement et, si vous les achetez, il faut les choisir judicieusement. Les framboises ne mûrissent plus une fois récoltées.

### Conservation des framboises

L'ajout de sucre n'est pas absolument nécessaire, mais cet ingrédient, en quantité suffisante, a un effet radical sur la conservation. Un mélange d'un poids égal de sucre et de framboises peut se conserver longtemps au congélateur. Il ne gèlera pas et pourra être utilisé à mesure des besoins. On peut congeler les framboises nature de la même manière que les fraises; leur goût n'en sera pas vraiment altéré. On évitera de les décongeler complètement, au moment de les utiliser, pour qu'elles gardent leur belle apparence. Les jus d'agrumes permettent aussi de conserver leur couleur et de minimiser les pertes en vitamine C.

Les framboises n'aiment pas l'eau. On ne doit les laver qu'au moment de les consommer, et encore, délicatement.

# Une légende attendrissante

Selon la légende mythologique, le nom latin du fruit, *Rubus Idæus*, est une allusion à Ida et au mont qui porte son nom. Ida est une nymphe gardienne d'enfants qui aurait servi de nourrice à Jupiter et à qui on attribue la couleur de la framboise. Avant son intervention, la framboise était blanche. Un jour que Jupiter, encore petit enfant, était très en colère et faisait retentir les échos de ses cris, pour l'apaiser, Ida alla cueillir une framboise sur les flancs du mont Ida. Elle se fit une égratignure au sein et il en jaillit quelques gouttes de sang qui tombèrent sur le fruit. La framboise est désormais rouge! Mais quelques-unes ont échappé à cette métamorphose. Bien que rares, il en existe pourtant des variétés blanches et jaunes.

# Recettes

## Carrés aux framboises

### 16 portions

| | | |
|---|---|---|
| 325 ml | chapelure de biscuits Graham | 1 1/3 tasse |
| 30 ml | sucre | 2 c. à table |
| 75 ml | beurre fondu | 1/3 tasse |
| 300 g | paquet de framboises congelées | 10 oz |
| 125 ml | sucre | 1/2 tasse |
| 30 ml | fécule de maïs | 2 c. à table |
| 30 ml | eau froide | 2 c. à table |
| | crème fouettée vanillée | |

1- Mêler chapelure, sucre et beurre et presser dans un moule carré beurré (on peut cuire).

2- Mettre dans un chaudron les framboises, le sucre, la fécule délayée dans l'eau froide et cuire en brassant jusqu'à consistance épaisse.

3- Laisser tiédir, étaler sur les biscuits et réfrigérer.

4- Masquer de crème fouettée et réfrigérer de nouveau avant de couper.

La
Framboise

# Coulis de framboises

| | | |
|---|---|---|
| 125 ml | **sucre** | 1/2 tasse |
| 375 ml | **lait chaud tiède** | 1 1/2 tasse |
| 30 ml | **gélatine** | 2 c. à table |
| 15 ml | **eau** | 1 c. à table |
| 625 ml | **yogourt nature** | 2 1/2 tasses |
| | **vanille** | |
| 60 ml | **huile** | 1/4 tasse |

### Framboises :

| | | |
|---|---|---|
| 500 ml | **framboises** | 2 tasses |
| 60 ml | **sucre** | 1/4 tasse |
| | **jus de citron** | |

1- Mélanger le sucre et le lait.
2- Gonfler la gélatine et l'eau et fondre au micro-ondes 15 secondes.
3- Mélanger ensemble doucement en filet.
4- Ajouter le yogourt et la vanille et fouetter dans un bain-marie d'eau glacée jusqu'à ce que le mélange ait l'allure d'un Jell-O manqué.
5- Badigeonner les moules d'huile.
6- Recouvrir et laisser au réfrigérateur 1 1/2 heure.

### Framboises :

1- Cuire les framboises jusqu'à ébullition.
2- Retirer du feu.
3- Ajouter le sucre et le jus de citron.
4- Passer au mélangeur et passer au tamis.
5- Servir sur le yogourt, renverser dans une assiette et verser les framboises dessus.

La Framboise

# Délices aux framboises

## 12 portions

| | | |
|---|---|---|
| 185 ml | beurre | 3/4 tasse |
| 125 ml | cassonade | 1/2 tasse |
| 1 | œuf | 1 |
| 5 ml | essence de vanille | 1 c. à thé |
| 375 ml | farine | 1 1/2 tasse |
| 60 ml | confiture de framboises | 1/4 tasse |
| 75 ml | beurre | 1/3 tasse |
| 60 ml | sucre | 1/4 tasse |
| 1 | œuf | 1 |
| 10 ml | jus de citron | 2 c. à thé |
| 2,5 ml | zeste de citron râpé | 1/2 c. à thé |
| 125 ml | farine | 1/2 tasse |
| 2,5 ml | levure chimique | 1/2 c. à thé |

1- Ramollir le beurre avec la cassonade.
2- Incorporer l'œuf, puis parfumer à la vanille.
3- Ajouter la farine et bien mélanger.
4- Diviser la pâte en 12 parties égales.
5- Foncer 12 moules à tartelettes avec la pâte en la pressant avec les doigts.
6- Répartir la confiture dans le fond des tartelettes. Réserver.
7- Battre le beurre avec le sucre jusqu'à ce que le mélange blanchisse.
8- Incorporer l'œuf.
9- Ajouter le jus et le zeste de citron.
10- Ajouter la farine et la levure chimique préalablement tamisées ensemble.
11- Répartir cet appareil dans les tartelettes.
12- Cuire au four à 180 ˚C (350 ˚F) pendant 15 à 20 minutes.
13- Servir ces tartelettes tièdes ou froides.

La
Framboise

# Délices aux framboises et au chocolat

### 8 à 10 portions

### Croûte :

| 375 ml | chapelure de biscuits Graham | 1 1/2 tasse |
| 30 ml | miel liquide | 2 c. à table |
| 125 ml | beurre fondu | 1/2 tasse |

### Biscuit :

| 2 | œufs moyens | 2 |
| 125 ml | sucre | 1/2 tasse |
| 75 ml | beurre | 1/3 tasse |
| 75 ml | lait 2 % | 1/3 tasse |
| 125 ml | farine tout usage | 1/2 tasse |
| 10 ml | poudre à pâte | 2 c. à thé |
| 125 ml | poudre d'amandes | 1/2 tasse |

### Mousse aux framboises :

| 500 ml | framboises fraîches | 2 tasses |
| 125 ml | jus de pomme non sucré | 1/2 tasse |
| 75 ml | sucre | 1/3 tasse |
| 4 | jaunes d'œufs moyens | 4 |
| 1 1/2 sachet | gélatine sans saveur, délayée et gonflée dans l'eau | 1 1/2 sachet |
| 60 ml | eau froide | 1/4 tasse |
| 60 ml | crème de framboises | 1/4 tasse |
| 250 ml | crème 35 %, fouettée | 1 tasse |

### Décoration :

**copeaux de chocolat**

### Croûte :

1- Dans un bol, mélanger la chapelure de biscuits, le miel et le beurre.
2- Garnir de cette préparation le fond d'un moule à charnière de 23 cm (9 pouces) de diamètre graissé.
3- Réserver.

### Biscuit :

1- Préchauffer le four à 180 °C (350 °F).
2- À l'aide d'un robot culinaire ou au mélangeur électrique, mélanger les œufs et le sucre.
3- Incorporer le beurre, le lait, la farine, la poudre à pâte et la poudre d'amandes; bien mélanger.
4- Verser sur la croûte et cuire au four 30 à 35 minutes.
5- Refroidir et réserver.

### Mousse aux framboises :

1- Dans une petite casserole, amener les framboises, le jus de pomme et le sucre à ébullition et laisser mijoter 2 minutes.
2- Retirer du feu; incorporer les jaunes d'œufs et la gélatine gonflée.
3- Réduire en purée au robot culinaire ou au mélangeur électrique.
4- Passer au tamis et refroidir 10 minutes au réfrigérateur.
5- Incorporer la crème de framboises et la crème fouettée; mélanger doucement à la spatule ou à la cuillère.
6- Verser sur le biscuit et déposer au réfrigérateur 1 heure.

### Décoration :

1- Au moment de servir, démouler et garnir de copeaux de chocolat.

La
Framboise

# Escalopes de dindon framboisines

### 4 portions

| | | |
|---|---|---|
| 4 | **escalopes de dindon** | 4 |
| | **de 125 à 175 g (4 à 6 oz)** | |
| 30 ml | **beurre** | 2 c. à table |
| 375 ml | **framboises fraîches** | 1 1/2 tasse |
| 125 ml | **vin blanc sec** | 1/2 tasse |
| 2 ml | **graines de moutarde** | 1/2 c. à thé |
| 45 ml | **miel** | 3 c. à table |
| | **poivre au goût** | |
| 10 ml | **fécule de maïs** | 2 c. à thé |
| 15 ml | **eau froide** | 1 c. à table |
| | **framboises fraîches** | |

1- Saisir les escalopes dans le beurre, 1 1/2 minute, de chaque côté.
2- Combiner framboises, vin, graines de moutarde et chauffer
   5 minutes à feu moyen.
3- Ajouter le miel et le poivre et bouillir jusqu'à réduction de moitié,
   environ 5 minutes.
4- Passer au tamis (garder le liquide) en écrasant le mélange.
5- Verser le liquide à nouveau dans la casserole et ajouter la fécule
   délayée dans l'eau froide.
6- Chauffer jusqu'à épaississement.
7- Napper les escalopes de cette sauce et décorer de framboises fraîches.

La Framboise

# Filets de poulet aux framboises

### 3 portions

| | | |
|---|---|---|
| 60 ml | **framboises surgelées** | 1/4 tasse |
| 60 ml | **vinaigre de framboises** | 1/4 tasse |
| 1 | **gousse d'ail broyée** | 1 |
| 1 | **petit oignon haché finement** | 1 |
| 15 ml | **basilic frais, ciselé** | 1 c. à table |
| | **poivre du moulin** | |
| 30 ml | **huile d'olive** | 2 c. à table |
| | **jus et le zeste de 1/2 orange** | |
| 375 g | **filets de poulet en morceaux** | 12 oz |
| | ou | |
| | **lanières de poitrine de poulet** | |

1- Dans un grand bol, mélanger les framboises, le vinaigre, l'ail, l'oignon, le basilic, le poivre, l'huile ainsi que le jus et le zeste d'orange.

2- Ajouter le poulet et laisser mariner 2 heures au réfrigérateur.

3- Préchauffer le gril du four ou régler le barbecue au gaz à puissance moyenne.

4- Enfiler les filets sur des brochettes de bois et faire griller jusqu'à ce que la viande perde sa coloration rosée ou que le jus qui s'écoule de la viande soit clair, soit environ 5 à 7 minutes de chaque côté.

5- Badigeonner de marinade en début de cuisson.

# Foie de veau rôti aux framboises

### 6 portions

| | | |
|---|---|---|
| 1 kg | **foie de veau** ou **de génisse** | 2 1/4 lb |
| | **sel et poivre** | |
| 30 ml | **beurre** | 2 c. à table |
| 90 ml | **vinaigre** | 3/8 tasse |
| 60 ml | **sucre** | 1/4 tasse |
| 250 ml | **bouillon de volaille** | 1 tasse |
| 1 | **clou de girofle** | 1 |
| 500 ml | **framboises** | 2 tasses |
| | **(dont 1/4 tasse pour la décoration)** | |

1- Préchauffez le four à 150 ˚C (300 ˚F).
2- Dorez le foie, préalablement salé et poivré, au beurre dans une sauteuse (5 minutes environ sur feu moyen) en le retournant souvent.
3- Placez-le dans un plat à rôtir, arrosé de son beurre de cuisson.
4- Cuisez-le 45 minutes en le retournant de temps en temps puis réservez-le au chaud.
5- Déglacez le plat de cuisson avec le vinaigre.
6- Versez le tout dans une casserole avec le sucre.
7- Réduisez de 3/4 sur feu vif.
8- Ajoutez le bouillon (ou de l'eau) et le clou de girofle.
9- À ébullition, jetez dans le liquide 150 g de framboises.
10- Laissez éclater les fruits 5 minutes.
11- Ce jus épais doit être acidulé-sucré.
12- Ajoutez au goût sucre ou vinaigre, poivrez bien.
13- Servez avec le foie découpé et décoré de framboises.

**Cette recette peut-être réalisée avec un foie gras de canard.**
**Il sera préférable de prendre 2 foies de 400 g (14 oz) chacun.**
**Il faudra les dégraisser en fin de cuisson (35 à 40 minutes).**

La Framboise

# Gâteau au fromage et aux framboises

### 8 à 10 portions

### Croûte :

| 500 ml | biscuits émiettés | 2 tasses |
|---|---|---|
| 125 ml | beurre ramolli | 1/2 tasse |
| 15 ml | sirop de maïs | 1 c. à table |

### Garniture au fromage :

| 2 | sachets de gélatine sans saveur | 2 |
|---|---|---|
| 45 ml | eau froide | 3 c. à table |
| 125 ml | eau chaude | 1/2 tasse |
| 2 | jaunes d'œufs moyens | 2 |
| 125 ml | sucre | 1/2 tasse |
| 2,5 ml | essence de vanille | 1/2 c. à thé |
| 225 g | fromage à la crème | 7 1/2 oz |
| 160 ml | crème 35 % fouettée | 2/3 tasse |
| 2 | blancs d'œufs, montés en neige ferme | 2 |
| 500 ml | framboises fraîches | 2 tasses |
| | (réserver pour garniture) | |
| 1 | kiwi, coupé en tranches fines | 1 |
| | (réserver pour garniture) | |

### Gelée de framboises :

| 500 ml | framboises congelées | 2 tasses |
|---|---|---|
| 125 ml | eau | 1/2 tasse |
| 125 ml | sucre | 1/2 tasse |
| 1 | sachet de gélatine sans saveur | 1 |

113

La Framboise

### Croûte :

1- Préchauffer le four à 180 ˚C (350 ˚F).
2- Dans un petit bol, mélanger les biscuits émiettés avec le beurre et le sirop de maïs.
3- Beurrer le fond d'un moule à charnière de 20 à 22 cm (de 8 à 9 pouces) de diamètre et garnir de la préparation de biscuits; bien tasser pour obtenir une couche uniforme.
4- Cuire au four 10 minutes.
5- Laisser refroidir.

### Garniture au fromage :

1- Dans un petit bol, faire gonfler la gélatine dans l'eau froide pendant quelques minutes.
2- Ajouter l'eau chaude, mélanger et laisser refroidir.
3- Au robot culinaire ou au mélangeur à main, battre les jaunes d'œufs avec le sucre et l'essence de vanille, jusqu'à ce que le mélange blanchisse.
4- Ajouter le fromage à la crème et mélanger.
5- Incorporer la gélatine et la crème fouettée, mélanger doucement.
6- À l'aide d'une spatule, incorporer les blancs d'œufs.
7- Verser la préparation sur le fond de biscuits et réfrigérer 3 à 4 heures.

### Gelée de framboises :

1- Dans une casserole, déposer les framboises congelées, l'eau et le sucre, chauffer à feu doux 2 minutes.
2- Incorporer le sachet de gélatine et retirer du feu.
3- Démouler le gâteau et verser la gelée de framboises.
4- Appliquer le reste de la préparation de biscuits émiettés sur le tour du gâteau.
5- Dresser sur une assiette et garnir le dessus du gâteau de framboises fraîches et de tranches de kiwi.

# Gâteau vite fait aux framboises ou aux bleuets

## 10 portions

| | | |
|---|---|---|
| 60 ml | **beurre** | 1/4 tasse |
| 185 ml | **sucre** | 3/4 tasse |
| 1 | **œuf** | 1 |
| 500 ml | **farine** | 2 tasses |
| 10 ml | **poudre à pâte** | 2 c. à thé |
| 1 pincée | **sel** | 1 pincée |
| 125 ml | **lait** | 1/2 tasse |
| 500 ml | **bleuets** ou **framboises** | 2 tasses |

### Garniture :

| | | |
|---|---|---|
| 125 ml | **cassonade** | 1/2 tasse |
| 45 ml | **farine** | 3 c. à table |
| 45 ml | **beurre mou** | 3 c. à table |
| 125 ml | **amandes tranchées** | 1/2 tasse |

1- Préchauffer le four à 180 ˚C (350 ˚F).
2- Graisser et fariner 1 moule à ressort.
3- Défaire en crème le beurre.
4- Ajouter le sucre, puis l'œuf.
5- Incorporer la farine, la poudre à pâte, le sel et le lait. Ne pas trop mélanger.
6- Ajouter les petits fruits en pliant dans la pâte.
7- Verser dans le moule.

### Garniture :

1- Mélanger ensemble la cassonade, la farine et le beurre.
2- Verser sur le gâteau.
3- Saupoudrer les amandes.
4- Cuire au four à 180 ˚C (350 ˚F) entre 50 et 60 minutes ou jusqu'à ce qu'un cure-dent inséré dans le gâteau en ressorte sec.

La Framboise

# Gâteau framboisé au fromage blanc

## 4 portions

| | | |
|---|---|---|
| 500 g | **fromage blanc** | 1 lb |
| 45 ml | **farine** | 3 c. à table |
| 185 ml | **sucre à glacer** | 3/4 tasse |
| | **zeste de citron** | |
| 4 | **blancs d'œufs** | 4 |
| | **beurre** | |
| 500 ml | **framboises** | 2 tasses |
| | **sucre à glacer** | |
| 1 | **citron** | 1 |
| 2 | **oranges** | 2 |
| | **sirop de framboises** | |

1- Préchauffer le four à 200 ˚C (400 ˚F).

2- Verser le fromage blanc dans le saladier.

3- Ajouter la farine tamisée, puis le sucre à glacer et le zeste du citron.

4- Mélanger le tout à la cuillère de bois.

5- Battre les blancs d'œufs en neige ferme.

6- Incorporer-les délicatement au fromage blanc.

7- Beurrer un moule à manqué.

8- Verser la préparation dedans.

9- Placer le moule dans un bain-marie.

10- Laisser cuire 40 minutes environ (vérifier la cuisson en enfonçant la lame d'un couteau qui doit ressortir sèche).

11- Laisser refroidir, démouler.

12- Garnir le gâteau de framboises.

13- Poudrer de sucre à glacer.

14- Presser le jus du citron et des oranges.

15- Mélanger-le au reste des framboises, mixer.

16- Sucrer au goût avec le sirop de framboises.

17- Servir ce coulis avec le gâteau.

**On peut aussi servir cet entremets avec une crème anglaise
aromatisée aux zestes d'agrumes (citron et orange)
ou encore un coulis de chocolat chaud.**

La Framboise

# Mousse aux framboises

### 6 portions

| | | |
|---|---|---|
| 300 g | **framboises congelées** | 10 oz |
| | ou | |
| 2 casseaux | **framboises fraîches** | 2 casseaux |
| 300 g | **tofu soyeux** | 2 paquets |
| 125 ml | **sucre** | 1/2 tasse |
| 1 | **enveloppe de 28 g (1 oz) gélatine nature** | 1 |

1- Décongeler les framboises puis les réduire en purée au robot culinaire.
2- Ajouter les deux paquets de tofu et le sucre.
3- Dissoudre la gélatine selon les indications sur l'enveloppe puis ajouter au mélange.
4- Bien mélanger le tout au robot.
5- Verser dans des bols.
6- Réfrigérer.

**Si vous ne dites pas aux gens que cette recette contient du tofu, ils ne pourront pas le savoir.**

La Framboise

# Mousse au yogourt et framboises

### 6 portions

### Mousse :

| | | |
|---|---|---|
| 2 | sachets de gélatine | 2 |
| | eau froide | |
| 185 ml | purée de fruits (framboises) | 3/4 tasse |
| 160 ml | yogourt aux framboises | 2/3 tasse |
| 60 ml | sucre | 1/4 tasse |
| 250 ml | crème 35 % | 1 tasse |
| 1 | génoise | 1 |
| | ou | |
| 1 | mince gâteau blanc, | 1 |
| | de la grandeur d'un moule charnière | |
| | sirop d'érable chaud, en quantité suffisante | |

### Nappage de framboises :

| | | |
|---|---|---|
| 125 ml | purée de framboises | 1/2 tasse |
| 60 ml | sucre | 1/4 tasse |
| 1 | sachet de gélatine, gonflée dans l'eau | 1 |
| 30 ml | eau froide | 2 c. à table |
| 45 ml | eau chaude | 3 c. à table |

### Mousse :

1- Dans un petit bol, faire ramollir la gélatine dans de l'eau froide.
2- Dans un bain-marie, réchauffer la purée de fruits, retirer du feu et incorporer la gélatine; laisser tiédir.
3- Incorporer la purée de fruits au yogourt aux framboises, ajouter le sucre et laisser prendre 5 à 10 minutes au réfrigérateur.
4- Incorporer, délicatement à la spatule, la crème fouettée au mélange de yogourt.

5- Garnir le fond d'un moule à charnière de génoise ou du gâteau et napper de sirop d'érable chaud.

6- Verser la préparation de yogourt sur le gâteau et déposer au congélateur 2 à 3 heures.

## Nappage de framboises :

1- Dans une casserole, porter à ébullition la purée de framboises et le sucre.

2- Retirer du feu et ajouter la gélatine.

3- Bien mélanger et laisser tiédir.

4- Verser sur la mousse au yogourt et réfrigérer.

La Framboise

# Muffins aux framboises et aux bleuets

### 12 portions

| | | |
|---|:---:|---:|
| 500 ml | **farine tout usage** | 2 tasses |
| 30 ml | **poudre à pâte** | 2 c. à table |
| 1 pincée | **sel** | 1 pincée |
| 1 | **œuf** | 1 |
| 185 ml | **sucre** | 3/4 tasse |
| 45 ml | **huile végétale** | 3 c. à table |
| 250 ml | **lait** | 1 tasse |
| 30 ml | **zeste de citron râpé** | 2 c. à table |
| 500 ml | **framboises et bleuets mélangés,** | 2 tasses |
| | **frais ou surgelés, décongelés et égouttés** | |

1- Préchauffer le four à 200 ˚C (400 ˚F).

2- Beurrer ou vaporiser d'enduit végétal 12 moules à muffins de grosseur moyenne.

3- Dans un bol, tamiser les ingrédients secs.

4- Dans un autre bol, battre l'œuf, le sucre, l'huile végétale, le lait et le zeste de citron jusqu'à l'obtention d'un mélange homogène.

5- Incorporer les ingrédients secs aux ingrédients liquides.

6- Mélanger délicatement à l'aide d'une cuillère en bois.

7- Ajouter les fruits et mélanger délicatement sans trop brasser.

8- Verser dans les moules.

9- Cuire au four pendant 20 minutes à 200 ˚C (400 ˚F) ou jusqu'à ce qu'un cure-dent inséré en ressorte sec.

10- Laisser tiédir, démouler et refroidir sur une grille.

La Framboise

# Paniers de framboises

### 4 portions

## Choux :

| 250 ml | eau | 1 tasse |
| 75 ml | beurre | 1/3 tasse |
| 1 pincée | sel | 1 pincée |
| 10 ml | sucre | 2 c. à thé |
| 160 ml | farine | 2/3 tasse |
| 3 | œufs | 3 |
| 1 | œuf battu pour dorer | 1 |

## Chantilly :

| 500 ml | crème 15 % | 2 tasses |
| 2 | paquets de sucre vanillé | 2 |

## Décoration :

**barquette de framboises
sucre à glacer**

## Choux :

1- Mélanger dans une casserole l'eau, le beurre, le sel et le sucre.
2- À ébullition, verser d'un seul coup la farine et remuez énergiquement jusqu'à ce que la préparation se détache de la casserole.
3- Hors du feu, ajouter les œufs les uns après les autres en les incorporant bien à chaque fois.
4- Remuez encore une minute.
5- Sur un papier sulfurisé, à l'aide d'une poche munie d'une douille fine, déposer 4 rubans de pâte qui feront les anses du panier.
6- Sur un autre papier, partager le reste de la pâte en 4 tas égaux qui feront les paniers.

La Framboise

7- Faites cuire dans le four préchauffé à 200 °C (400 °F) environ 25 minutes en n'omettant pas d'entrouvrir le four aux deux tiers de la cuisson.

8- Les anses seront retirées à mi-temps.

## Chantilly :

1- Battez la crème 15 %; dès que celle-ci épaissit, ajoutez progressivement le sucre.

## Décoration :

1- Ôtez un chapeau sur chacun et garnissez-les avec la Chantilly.

2- Placez les anses des paniers, ajoutez les framboises et décorez de sucre à glacer.

**Jetez la farine dans l'eau bouillante d'un seul coup et remuez énergiquement sur le feu jusqu'à ce que le mélange se détache de la casserole.**

La Framboise

# Pouding aux framboises ou autres fruits

### Première partie :

| | | |
|---|---|---|
| 3 | **jaunes d'œufs** | 3 |
| 250 ml | **sucre** | 1 tasse |
| 30 ml | **eau chaude** | 2 c. à table |
| 250 ml | **farine** | 1 tasse |
| 7,5 ml | **poudre à pâte** | 1 1/2 c. à thé |
| 1 ml | **sel** | 1/4 c. à thé |
| 3 | **blancs d'œufs** | 3 |
| 20 ml | **vinaigre** | 4 c. à thé |

### Deuxième partie :

| | | |
|---|---|---|
| 1 l | **framboises** | 4 tasses |
| 250 ml | **sucre** | 1 tasse |
| 300 ml | **cassonade** | 1 1/4 tasse |
| 10 ml | **jus de citron** | 2 c. à thé |
| 1 | **noisette de beurre** | 1 |
| 10 ml | **tapioca minute** | 2 c. à thé |

1- Battre les jaunes d'œufs jusqu'à couleur citron.
2- Ajouter le sucre, l'eau, ensuite la farine tamisée avec la poudre à pâte et le sel.
3- Incorporer les blancs montés en neige et le vinaigre.
4- Bien mélanger.
5- Mélanger tous les ingrédients de la deuxième partie et verser dans un plat à pouding.
6- Couvrir du mélange de la première partie et cuire au four à 175 ˚C (300 ˚F).

La Framboise

# Poulet au porto et aux framboises

## 4 portions

| | | |
|---|---|---|
| 125 ml | **porto** | 1/2 tasse |
| | ou | |
| | **vin rouge** ou **blanc** | |
| 75 ml | **cassonade** | 1/3 tasse |
| 5 ml | **moutarde de Dijon** | 1 c. à thé |
| 250 ml | **framboises fraîches** | 1 tasse |
| 15 ml | **huile végétale** | 1 c. à table |
| 4 | **tournedos de poitrine** | 4 |
| | ou | |
| | **hauts de cuisse de poulet** | |
| 30 ml | **crème sure (facultatif)** | 2 c. à table |

1- Mélanger le porto, la cassonade, la moutarde, les framboises et cuire 10 minutes à feu moyen.
2- Passer au mélangeur et/ou au tamis.
3- Huiler un plat allant au four.
4- Badigeonner les tournedos, couvrir le plat et cuire au four 180 ˚C (350 ˚F) environ 30 minutes, c'est-à-dire jusqu'à ce que le jus de cuisson qui s'écoule de la viande soit clair ou que le thermomètre à viande indique une température interne de 77 ˚C (170 ˚F).
5- Arroser souvent durant la cuisson.
6- Une fois cuit, servir tel quel ou réduire le jus de cuisson pour épaissir la sauce.
7- Ajouter la crème et laisser fondre dans la sauce.
8- Servir avec un riz pilaf, des tomates à la provençale et des bouquets de brocoli.

**On peut remplacer les tournedos par :**
**poitrines ou hauts de cuisse désossés (15 à 20 minutes de cuisson),**
**coqs au porc en demi (5 à 40 minutes),**
**paupiettes (25 à 30 minutes) ou rôtis de poitrine**
**ou cuisses désossées (45 à 60 minutes).**

# Sauce aux framboises pour poulet

| | | |
|---|---|---|
| 1/2 | **oignon rouge** | 1/2 |
| 30 ml | **beurre** | 2 c. à table |
| 25 ml | **sucre** | 1 1/2 c. à table |
| 75 ml | **framboises** | 1/3 tasse |
| 30 ml | **vinaigre de framboises** | 2 c. à table |
| 125 ml | **fond brun (demi-glace Knorr)** | 1/2 tasse |
| 90 ml | **crème** | 3/8 tasse |
| | **sel et poivre** | |
| | **framboises pour décorer** | |

1- Hacher l'oignon et faire suer dans le beurre pendant environ 15 minutes.
2- Ajouter le sucre et le dissoudre.
3- Caraméliser légèrement (sans brasser).
4- Ajouter framboises, vinaigre et fond brun.
5- Réduire de moitié.
6- Ajouter la crème.
7- Réduire de moitié.
8- Assaisonner.
9- Passer au tamis.

La Framboise

# Tarte au chocolat et à la crème de framboises

### 8 portions

#### Pâte à tarte aux brisures de chocolat :

| | | |
|---|---|---|
| 325 ml | **farine tout usage** | 1 1/3 tasse |
| 30 ml | **sucre** | 2 c. à table |
| 1 pincée | **sel** | 1 pincée |
| 125 ml | **beurre, défait en morceaux** | 1/2 tasse |
| 125 ml | **brisures de chocolat** | 1/2 tasse |
| 60 ml | **eau glacée** | 1/4 tasse |

#### Garniture au chocolat :

| | | |
|---|---|---|
| 250 ml | **chocolat mi-sucré** | 1 tasse |
| 30 ml | **beurre doux** | 2 c. à table |
| 2 | **œufs moyens** | 2 |
| 125 ml | **crème 35 %, fouettée** | 1/2 tasse |

#### Mousse aux framboises :

| | | |
|---|---|---|
| 300 ml | **framboises congelées, décongelées** | 1 1/4 tasse |
| 125 ml | **sucre** | 1/2 tasse |
| 60 ml | **eau** | 1/4 tasse |
| 60 ml | **crème de framboises** | 1/4 tasse |
| 1 1/2 | **enveloppe de gélatine sans saveur** | 1 1/2 |
| 125 ml | **crème 35 %, fouettée** | 1/2 tasse |

#### Décoration :

| | | |
|---|---|---|
| | **fruits frais, au goût** | |
| 8 | **bouquets de menthe** | 8 |

La Framboise

### Pâte à tarte aux brisures de chocolat :

1- Préchauffer le four à 180 ˚C (350 ˚F).
2- Au robot culinaire, mélanger la farine, le sucre et le sel 15 à 20 secondes, jusqu'à ce que le mélange soit homogène.
3- Incorporer le beurre et mélanger 15 à 20 secondes.
4- Ajouter les brisures de chocolat et mélanger environ 10 secondes.
5- Incorporer l'eau glacée et mélanger jusqu'à ce que la pâte décolle des côtés du bol.
6- Retirer du bol et former une boule; laisser reposer au réfrigérateur 30 minutes.
7- Sur une planche de travail enfarinée, abaisser la pâte en forme de cercle de 30 cm (12 pouces) de diamètre.
8- Déposer dans une assiette à tarte en verre ou dans deux assiettes superposées en aluminium.
9- Déposer une feuille de papier ciré ou de papier d'aluminium sur la pâte, remplir de haricots secs ou de pois à soupe secs et cuire au four 20 minutes.
10- Retirer le papier et les haricots; continuer la cuisson 10 minutes.
11- Refroidir et réserver.

### Garniture au chocolat :

1- À feu très doux, au bain-marie ou dans une casserole, faire fondre le chocolat et le beurre.
2- Retirer du feu et incorporer les œufs.
3- Laisser refroidir au réfrigérateur 5 minutes et ajouter la crème fouettée.
4- Bien mélanger et verser sur la croûte aux brisures de chocolat.
5- Déposer au réfrigérateur 30 minutes; réserver.

### Mousse aux framboises :

1- Dans une casserole, faire chauffer à feu doux, 2 minutes, les framboises, le sucre, l'eau et la crème de framboises.
2- Incorporer la gélatine et mélanger.
3- À l'aide d'un robot culinaire, réduire la préparation de framboises en purée et passer au tamis.

4- Laisser refroidir au réfrigérateur jusqu'à ce que le mélange commence à prendre.

5- Incorporer la crème fouettée, mélanger et verser sur la garniture au chocolat.

6- Réfrigérer 2 heures, décorer de fruits frais et de bouquets de menthe.

La Framboise

# Tarte aux framboises

## 6 portions

| 2 | abaisses de 20 ou 23 cm (8 ou 9 pouces) de pâte à tarte | 2 |
|---|---|---|
| 20 ml | farine tout usage | 4 c. à thé |
| 125 ml | sucre | 1/2 tasse |
| 500 ml | framboises fraîches | 2 tasses |
| 30 ml | tapioca minute | 2 c. à table |
|  | ou |  |
| 30 ml | semoule de blé | 2 c. à table |
| 1 pincée | sel | 1 pincée |
| 15 ml | beurre | 1 c. à table |

1- Préchauffer le four à 200 °C (400 °F).

2- Recouvrir le fond d'une assiette à tarte, de 20 ou 23 cm (8 ou 9 pouces), d'une abaisse de pâte à tarte.

3- Saupoudrer l'abaisse de farine (afin d'empêcher les framboises de la mouiller).

4- La saupoudrer ensuite de la moitié (60 ml ou 1/4 tasse) du sucre, puis y déposer les framboises fraîches.

5- Mélanger ensemble le reste du sucre, le tapioca minute ou la semoule de blé et le sel.

6- Saupoudrer les framboises du mélange de sucre.

7- Les garnir de quelques noisettes de beurre avant de recouvrir le tout de l'autre abaisse de pâte.

8- Sceller le tour et découper quelques entailles sur le dessus.

9- Cuire pendant 40 minutes au four préchauffé.

10- Laisser refroidir complètement, sur une grille, avant de servir.

La Framboise

# Tarte aux framboises amandine

### 8 portions

| | | |
|---|---|---|
| 375 ml | **farine tout usage** | 1 1/2 tasse |
| 125 ml | **sucre** | 1/2 tasse |
| 10 ml | **poudre à pâte** | 2 c. à thé |
| 75 ml | **poudre d'amandes** | 1/3 tasse |
| 125 ml | **margarine** | 1/2 tasse |
| 2 | **œufs moyens** | 2 |
| 60 ml | **lait** | 1/4 tasse |
| 5 ml | **essence d'amande** | 1 c. à thé |
| 30 ml | **crème de framboises** | 2 c. à table |
| 500 ml | **framboises fraîches** | 2 tasses |
| 375 ml | **crème sure** | 1 1/2 tasse |
| 30 ml | **farine tout usage** | 2 c. à table |
| 2 | **œufs moyens** | 2 |
| 60 ml | **sirop d'érable** | 1/4 tasse |
| 30 ml | **crème de framboises** | 2 c. à table |
| | **amandes** | |

### Coulis à la crème de framboises (facultatif) :

| | | |
|---|---|---|
| 375 ml | **framboises fraîches** ou **congelées** | 1 1/2 tasse |
| 125 ml | **jus de pomme non sucré** | 1/2 tasse |
| 125 ml | **sucre** | 1/2 tasse |
| 60 ml | **crème de framboises** | 1/4 tasse |

1- Préchauffer le four à 180 ˚C (350 ˚F).
2- Dans un bol, réunir la farine, le sucre, la poudre à pâte, la poudre d'amandes, la margarine, les œufs, le lait, l'essence d'amande et la crème de framboises; passer au mélangeur électrique.

La Framboise

3- Verser dans un moule à tarte en pyrex graissé ou un moule à gâteau rond de 23 cm (9 pouces) de diamètre.

4- Couvrir de framboises et réserver.

5- Dans un bol, mélanger la crème sure, la farine, les œufs, le sirop d'érable, la crème de framboises et les amandes.

6- Verser sur les framboises et cuire au four 1 heure environ.

## Coulis à la crème de framboises (facultatif) :

1- Dans une petite casserole, faire chauffer 2 minutes à feu moyen les framboises, le jus de pommes et le sucre.

2- Ajouter la crème de framboises et réduire le mélange en purée au robot culinaire ou au mélangeur électrique.

La Framboise

# Tarte aux framboises et au chocolat

## 10 portions

### Pâte :

| 375 ml | chapelure de biscuits Graham | 1 1/2 tasse |
|--------|------------------------------|-------------|
| 60 ml | amandes moulues | 1/4 tasse |
| 30 ml | sucre | 2 c. à table |
| 75 ml | beurre fondu | 1/3 tasse |
| | cannelle | |
| | muscade | |

### Garniture :

| 300 ml | framboises | 1 1/4 tasse |
|--------|------------------------|-------------|
| 45 ml | sucre | 3 c. à table |
| 160 ml | crème | 2/3 tasse |
| 300 ml | pépites de chocolat | 1 1/4 tasse |
| 60 ml | beurre | 1/4 tasse |

### Pâte :

1- Mélanger tous les ingrédients et tasser dans une assiette à tarte.
2- Cuire 10 minutes au four à 200 °C (400 °F).

### Garniture :

1- Écraser les framboises avec le sucre.
2- Chauffer la crème et verser sur le chocolat pour faire fondre.
3- Ajouter le beurre et les framboises écrasées avec le sucre et verser sur la pâte.
4- Réfrigérer.

# Tarte aux framboises et aux pacanes

### 8 portions

### Pâte sablée :

| | | |
|---|---|---|
| 185 ml | **farine** | 3/4 tasse |
| 60 ml | **sucre à glacer** | 1/4 tasse |
| 75 ml | **beurre** | 1/3 tasse |
| 5 ml | **vanille** | 1 c. à thé |

### Garniture :

| | | |
|---|---|---|
| 375 ml | **framboises fraîches**<br>ou **congelées égouttées** | 1 1/2 tasse |
| 500 ml | **pacanes moulues** | 2 tasses |

### Appareil :

| | | |
|---|---|---|
| 2 | **œufs** | 2 |
| 185 ml | **sucre** | 3/4 tasse |
| 60 ml | **farine** | 1/4 tasse |
| 5 ml | **poudre à pâte** | 1 c. à thé |
| 2,5 ml | **essence de vanille** | 1/2 c. à thé |
| 2,5 ml | **essence d'amande** | 1/2 c. à thé |

### Glace (facultatif) :

| | | |
|---|---|---|
| 75 ml | eau ou **jus de framboises** | 1/3 tasse |
| 75 ml | **sucre** | 1/3 tasse |
| 15 ml | **fécule de maïs** | 1 c. à table |
| 15 ml | **jus d'orange** | 1 c. à table |
| 15 ml | **beurre** | 1 c. à table |

**La Framboise**

### Pâte sablée :

1- Tamiser la farine et mêler le sucre à glacer.
2- Couper le beurre et la vanille.
3- Écraser avec les mains pour sabler.
4- Verser sur une assiette à tarte de 20 cm (8 pouces).
5- Placer avec la main sur l'assiette recouverte de pellicule de plastique.
6- Cuire 15 minutes à 180 ˚C (350 ˚F).

### Garniture :

1- Mêler les framboises et les pacanes et mettre en réserve.

### Appareil :

1- Faire mousser les œufs avec le sucre.
2- Ajouter la farine, la poudre à pâte et les 2 essences.
3- Verser sur le fond de tarte la moitié et recouvrir du mélange de framboises.
4- Recouvrir du reste de l'appareil.
5- Cuire 35 minutes à 175 ˚C (350 ˚F).
6- Glacer avec la glace (facultatif).

### Glace (facultatif) :

1- Mélanger tous les ingrédients et porter à ébullition.
2- Verser sur la tarte une fois cuite et refroidie; ça lui donnera un bel aspect brillant.

# Tarte à l'érable, aux pommes et aux framboises

### 8 portions

| | | |
|---|---|---|
| 1 | abaisse de pâte brisée au choix | 1 |
| 2 | pommes moyennes | 2 |
| 250 ml | framboises | 1 tasse |
| 250 ml | sirop d'érable | 1 tasse |
| 15 ml | beurre | 1 c. à table |
| 30 ml | fécule de maïs | 2 c. à table |
| 250 ml | crème 15 % | 1 tasse |

1- Préchauffer le four à 190 ˚C (375 ˚F).

2- Abaisser la pâte sur une surface enfarinée et la déposer dans une assiette à tarte.

3- Trancher les pommes et les déposer dans l'abaisse.

4- Couvrir uniformément de framboises. Réserver.

5- Faire chauffer le sirop d'érable et le beurre dans une casserole jusqu'à ce que ce dernier soit fondu.

6- Délayer la fécule de maïs dans la crème et verser lentement dans le sirop tout en mélangeant.

7- Poursuivre la cuisson 25 minutes à feu moyen jusqu'à ce que ce soit épais.

8- Laisser refroidir puis verser sur les fruits.

9- Cuire de 30 à 40 minutes.

10- Au moment de servir, décorer les pointes de tarte de framboises fraîches.

# Tarte aux framboises à l'ancienne

### 8 portions

| | | |
|---|---|---|
| 2 | **croûtes de tartes, non cuites** | 2 |
| 125 ml | **sucre** | 1/2 tasse |
| 30 ml | **farine** | 2 c. à table |
| 5 ml | **tapioca minute** | 1 c. à thé |
| 500 ml | **framboises fraîches** ou **surgelées** | 2 tasses |
| 5 ml | **jus de citron** | 1 c. à thé |
| 8 ml | **beurre fondu** | 1/2 c. à table |

1- Préchauffer le four à 190 °C (375 °F).

2- Placer l'une des abaisses de tarte dans une assiette allant au four.

3- Cuire légèrement quelques minutes, le temps que le fond de la tarte soit doré.

4- Dans un bol, mélanger ensemble le sucre, la farine et le tapioca.

5- Ajouter les framboises, le jus de citron et le beurre fondu.

6- Déposer le mélange dans la croûte de tarte légèrement cuite.

7- Recouvrir de l'autre croûte de tarte et sceller.

8- Faire une incision au centre pour laisser s'échapper la vapeur.

9- Cuire à 190 °C (375 °F) pendant environ 20 minutes ou jusqu'à ce que la croûte soit dorée.

10- Donne 1 tarte.

# Tarte allégée aux framboises

### 4 portions

| | | |
|---|---|---|
| 500 ml | céréales Corn Flakes, émiettées | 2 tasses |
| 30 ml | succédané de sucre, de marque Splenda | 2 c. à table |
| 30 ml | yogourt nature, 0,1 % m.g. | 2 c. à table |
| 85 g | 1 sachet de poudre pour gelée, de marque Jell-O, saveur de framboises, allégée | 3 oz |
| 250 ml | eau bouillante | 1 tasse |
| 375 ml | framboises surgelées | 1 1/2 tasse |
| 250 ml | yogourt nature, 0,1 % m.g. | 1 tasse |

1- Mélanger les céréales, le succédané de sucre et le yogourt.
2- Étendre dans le fond d'une assiette à tarte. Réserver.
3- Dans un autre bol, bien dissoudre le Jell-O dans l'eau bouillante.
4- Ajouter les framboises et le yogourt et bien mélanger.
5- Verser sur la croûte et réfrigérer jusqu'à ce que la tarte soit figée.

**Bon dessert pour ceux et celles qui font du diabète ou qui surveillent leur ligne.**

La Framboise

# Tourte aux framboises

## 6 à 8 portions

### Pâtes :

| | | |
|---|---|---|
| 5 ml | **cannelle moulue** | 1 c. à thé |
| 750 ml | **farine tout usage** | 3 tasses |
| 125 ml | **sucre** | 1/2 tasse |
| 1 | **œuf moyen** | 1 |
| 30 ml | **poudre à pâte** | 2 c. à table |
| 1 pincée | **sel** | 1 pincée |
| 125 ml | **graisse végétale** | 1/2 tasse |
| 425 ml | **lait 2 %** | 1 3/4 tasse |

### Garniture :

| | | |
|---|---|---|
| 1 l | **framboises surgelées** | 4 tasses |
| | **(décongelées et égouttées)** | |
| 250 ml | **sucre** | 1 tasse |
| 60 ml | **liqueur de framboise** | 1/4 tasse |

### Pâtes :

1- Préchauffer le four à 180 ˚C (350 ˚F).
2- Dans un bol, bien mélanger tous les ingrédients de la pâte pour obtenir la texture d'une pâte à biscuits fraîche; réserver.

### Garniture :

1- Dans un moule peu profond, déposer les framboises et saupoudrer de sucre.
2- Incorporer la liqueur de framboise; laisser glisser des cuillerées de pâte sur le mélange de framboises.
3- Cuire au four 30 minutes ou jusqu'à ce que le dessus soit doré.
4- Servir chaude en accompagnant de crème fraîche ou fouettée.

# Vanillé aux framboises

## 3 portions

| | | |
|---|---|---|
| 500 ml | **lait** | 2 tasses |
| 375 ml | **framboises fraîches** | 1 1/2 tasse |
| 30 ml | **confiture de framboises** | 2 c. à table |
| 2,5 ml | **extrait de vanille** | 1/2 c. à thé |
| 6 | **gros glaçons** | 6 |
| | **framboises fraîches** | |
| | **bâtonnets de chocolat** | |

1- Mettre tous les ingrédients dans un robot culinaire ou un mélangeur puis réduire jusqu'à l'obtention d'une boisson lisse et homogène.
2- Si désiré, tamiser le mélange pour une boisson plus onctueuse.
3- Servir immédiatement dans des coupes.
4- Garnir.

# BIBLIOGRAPHIE

Fondation for Innovative Medecine, *The Nutraceutical Iniative*, 1991.

HUDON GAUDREAULT, Cécile, *Bleuets, 55 recettes faciles*, Chicoutimi, Éditions JCL, 1994, 80 pages.

KALT, Willy, Dr, Kenville Research Center en Nouvelle-Écosse et le ministère de l'Agriculture et de l'Agroalimentaire canadien, 1996.

KOWALCHUK, J., *Antiviral Activity of Fruit Extracts*, 1976.

POTTER, N., *Do Functional Foods Raise the Health Threshold*, 1994.

POTTER, N., *Foods Science*, 4 th ed., 1986.

STONER, G., *Ellagic acid : A Naturally Occuring Inhibitor of Chemically-Induced Cancer*, 1989.

TOUTEFIS, A., *The New Scoop on Vitamins*, 1992.

Université d'Illinois.

# Crédits recettes

L'Association des producteurs de fraises et de framboises du Québec
www.fraisesetframboisesduquebec.com
Pages 57, 60, 67, 69, 73, 75, 86, 106, 108, 113, 118, 121, 126, 130,
137, 139

Cuisine de chez nous, n° 3, page 46
Page 138

La boîte à recettes web
www.boitearecettes.infinit.net
Pages 33, 58

Colette Bouffard, Sainte-Marie-de-Beauce
Pages 36, 38, 59, 78, 105, 123, 132, 133

La Fédération des producteurs de dindons du Québec (FPDQ)
www.volaillesduquebec.qc.ca
Page 110

La Fédération des producteurs de lait du Québec (FPLQ)
Page 76

La Fédération des producteurs de porcs du Québec (FPPQ)
*La Cuisine au goût du jour*
Page 91

La Fédération des producteurs de poulets du Québec (FPPQ)
www.lepouletduquebec.qc.ca
Pages 111, 124

**Cécile Hudon Gaudreault**
*Bleuets, 55 recettes faciles*
Pages 19, 21, 22, 23, 24, 25, 26, 27, 28, 29, 30, 31, 32, 35, 37, 39, 40, 41

**Institut de tourisme et d'hôtellerie du Québec**
*Cuisine traditionnelle des régions du Québec*
Pages 20, 107

**Kellog's Canada inc.**
Page 83

**Recettes du Québec**
www.recettesduquebec.qc.ca
Pages 61, 62, 64, 66, 70, 71, 79, 82, 85, 89, 115, 117, 120, 135, 136

**Célyne Savard**
Pages 42, 125

**Saveurs du monde**
www.saveurs.sympatico.ca
Page 43

**Service Vie**
www.servicevie.com
Pages 63, 80

**Ultra Crème**
www.natrel.ca
Page 88

**10 par jour**
www.10parjour.net
Pages 112, 116